GRUNT
TO PEWNOŚĆ
SIEBIE

PAUL McKENNA

GRUNT TO PEWNOŚĆ SIEBIE

UWIERZ W SIEBIE, A ZYSKASZ TO, CZEGO PRAGNIESZ!

Przełożyła
Aldona Możdżyńska

Tytuł oryginału:
Instant Confidence
The Power to Go for Anything You Want!

Copyright © Paul McKenna 2006

Copyright to the Polish Edition © 2006 G+J Gruner+Jahr Polska
Sp. z o.o. & Co. Spółka Komandytowa
02-677 Warszawa, ul. Wynalazek 4

Dział handlowy: tel. 022 640 07 25, 022 607 02 56, 57, 59 w. 221, 380
                       faks 022 607 02 61
Sprzedaż wysyłkowa
Dział obsługi klienta: tel. 022 607 02 62

Redakcja: Klara Szarkowska
Korekta: Joanna Zioło
Projekt okładki: Anna Angerman
Redakcja techniczna: Mariusz Teler
Zdjęcia na okładce: Goodshoot/RF
Zdjęcie P. McKenny na okładce: Bulls Press

ISBN: 978-83-60376-07-2

Skład i łamanie: ITWORKS, Warszawa
Druk: ABEDIK S.A.

Dla mojego przyjaciela Richarda Bandlera,
który pomógł wielu ludziom
poczuć się dobrze we własnej skórze.

Do książki tej dołączono płytę CD z pozytywnym oprogramowaniem dla umysłu.

OSTRZEŻENIE:

Załączonej płyty CD nie należy słuchać podczas prowadzenia samochodu i obsługi ciężkich maszyn oraz w przypadku występowania epilepsji lub depresji klinicznej. W razie wątpliwości należy skonsultować się z lekarzem.

SPIS TREŚCI

CZĘŚĆ TRZECIA
PEWNOŚĆ SIEBIE W PRAWDZIWYM ŚWIECIE

CZĘŚĆ CZWARTA
PORADNIA

WAŻNE: CD Z TRENINGIEM PROGRAMOWANIA UMYSŁU

Do tej książki dołączona jest płyta CD z intensywnym treningiem programowania umysłu, dzięki której twój umysł napełni się pozytywnymi myślami, a ty zdobędziesz pewność siebie i motywację. Nawet jeżeli nie przeczytasz ani jednego słowa z tego poradnika, a tylko wysłuchasz płyty, w istotny sposób poprawisz jakość swojego życia.

Książkę tę napisałem jednak tak, by zasiała ziarno w twojej podświadomości – ziarno pewności siebie, wiary w siebie i motywacji. Ziarno to kiełkuje podczas słuchania płyty, powodując intensywne przyspieszenie twojego rozwoju.

Płyty tej najlepiej słuchać, kiedy uda ci się znaleźć pół godziny, podczas której zdołasz całkowicie się zrelaksować. Jeżeli postanowisz słuchać jej regularnie, jeszcze bardziej wzmocnisz wszystkie zmiany, jakie w tobie wywoła.

Pamiętaj o jednym:

Nie musisz wierzyć w ani jedno moje słowo.

Po prostu przeczytaj tę książkę i codziennie, przez co najmniej tydzień słuchaj płyty, a jakość twojego życia niesłychanie się poprawi!

„Podejdźcie do krawędzi" – powiedział.
Odparli: „Boimy się".
„Podejdźcie do krawędzi" – powiedział.
I podeszli.
Zepchnął ich, a oni pofrunęli.

GUILLAUME APOLLINAIRE

SUKCES JEST W TWOIM ZASIĘGU!

Czy w pełni wykorzystujesz swój potencjał?

Ani jedna z setek tysięcy osób, z którymi pracowałem przez wiele lat, nie może twierdząco odpowiedzieć na to pytanie – i słusznie. Nawet znani biznesmeni, gwiazdy Hollywood czy olimpijczycy znajdujący się na samym szczycie wiedzieli, że wykorzystują tylko niewielką część swoich możliwości.

Badania wykazały zaledwie jeden procent różnicy między zwycięzcą a innymi uczestnikami zawodów sportowych, a ja uważam, że różnica ta polega na pewności siebie.

Grunt to pewność siebie to nie tylko książka – również system mający ułatwić ci osiągnięcie doskonałości w każdej sferze życia. Jeśli zdecydujesz się wykonywać opracowane przeze mnie ćwiczenia i stosować się do instrukcji zawartych w tym poradniku oraz na dołączonej płycie CD, w znaczący sposób poprawisz jakość wszystkiego, co robisz. Zauważysz, że bardziej cieszysz się życiem, a w obliczu nowo zdobytej pewności siebie wyzwania, które wcześniej wydawały ci się nie do pokonania, okażą się błahe. Wspólnie zaprogramujemy twój umysł na osiągnięcie sukcesu i uwarunkujemy cię tak, by umożliwić ci przemianę w osobę, jaką zawsze chciałeś być.

Jedno jest pewne – nieważne, jak obecnie układa ci się w życiu, od jak dawna jesteś taką osobą jak teraz, a nawet czy podchodzisz sceptycznie do mojej metody. To wszystko może się zmienić w ciągu jednego dnia. A ten dzień wypada właśnie dzisiaj!

Jak działa ta książka?

Korzystanie z opisanego tu systemu przypomina odbycie całej serii indywidualnych sesji ze mną. By odnieść sukces, musisz tylko wysłuchać dołączonej płyty CD, która pomoże ci na nowo zaprogramować umysł, zdobyć większą pewność siebie i motywację. Wkrótce zaczniesz w pełni wykorzystywać swój potencjał i dzięki wrodzonej pewności siebie zapewnisz sobie takie życie, jakiego naprawdę pragniesz.

Poszczególne cztery części książki krok po kroku zaprowadzą cię do celu. Część pierwsza „Nabieranie pewności siebie" przypomina sesję indywidualną w moim gabinecie. Wspólnie odbędziemy całą ich serię. Mają na celu systematyczne wzmacnianie twojej pewności siebie aż do chwili, gdy swoboda w zachowaniu i dobre samopoczucie staną się twoją naturalną reakcją na wszystko, co cię do tej pory trapiło.

Po zakończeniu tej serii ćwiczeń twoje życie się odmieni. Tam, gdzie do tej pory wyrastały – w twoim mniemaniu – same przeszkody, dostrzeżesz nowe możliwości. Nauczysz się, jak wykorzystywać swój niezwykły umysł do wzbudzania w sobie wielkiej pewności siebie i silnej motywacji. Poczujesz się lepiej we własnej skórze.

W części drugiej „Zyskaj motywację do osiągnięcia sukcesu" podzielę się z wami sekretami ludzi o wyjątkowo silnej motywacji. Zanim skończymy pracę opisaną w tej części, przepełni was pragnienie ruszenia w świat i zrobienia wszystkiego, by spełnić swoje marzenia. Ponadto nauczycie się rozluźniać i osiągniecie wyższy poziom energii, gdyż będziecie wiedzieli, że jesteście jak najlepiej przygotowani do sprawdzenia się na jedynej arenie, jaka liczy się naprawdę – na arenie życia.

Część trzecia „Pewność siebie w prawdziwym świecie" przypomina nieco uczestnictwo w jednym z moich seminariów poświęconych odnoszeniu sukcesów. Serdecznie zachęcam do przeczytania w całości tej części. To coś w rodzaju praktycznego poradnika, jak osiągnąć sukces w realnym świecie. Możecie zacząć od fragmentów dotyczących umiejętności, które chcecie opanować do perfekcji: czy chodzi o karierę zawodową, czy o życie towarzyskie, występy publiczne, czy związki uczuciowe.

I wreszcie w części czwartej „Poradnia" odpowiadam na najczęściej zadawane pytania, które padają, gdy moi klienci dopiero zaczynają rządzić swym życiem wewnętrznym, rozwijają pewność siebie i zabierają się do działania.

Co należy wiedzieć, zanim zaczniemy

Wyobraź sobie, że zatrudniasz mnie do tego, bym ci pomógł nabrać pewności siebie i zdobyć motywację do osiągnięcia celu. Co najbardziej pragniesz zmienić? Jak mógłbym ci pomóc?

Czytając tę książkę, zatrudniasz mnie jako swojego osobistego trenera, ale zanim zaczniemy, musisz uświadomić sobie parę rzeczy:

1. Jestem wyjątkowo pilnym pracownikiem

W pracy ze swoimi klientami nieustannie zapewniam ich, że zdobędą wszystko, czego potrzebują, a nawet więcej. By pomóc ci w pełni wykorzystać własny potencjał, będę nie tylko pracował z tobą – będę również rozmawiał z twoją podświadomością, tą częścią ciebie, która kontroluje każdy aspekt twojego zachowania. To dzięki niej bije twoje serce, mózg myśli, a ciało się regeneruje.

W tej książce pokażę twojej podświadomości, jak wyjść poza stare schematy i zrobić coś nowego. Początkowo może ci się to wydawać dość przerażające, bo poczujesz, że nadszedł czas najwyższy, by dla odmiany spróbować czegoś nowego. Jak to ujął Einstein, szalony jest ten, który wciąż robi to samo, a za każdym razem spodziewa się innego rezultatu.

Czasami może się zdarzyć, że moje porady będą budzić w tobie niepokój lub chęć powrotu do starych nawyków myślowych. Potraktuj to jako bardzo dobry znak. W końcu to właśnie te stare schematy hamowały cię w różnych dziedzinach życia. Jeśli moje słowa zagrażają twojemu widzeniu świata, to znaczy tylko tyle, że proces podświadomych zmian już się zaczął.

2. Ta książka jest inna

Każdy rozdział tej książki to kompendium wszystkiego, czego się nauczyłem i co ćwiczyłem w ciągu tysięcy godzin pracy z ludźmi takimi jak ty. Przez wiele lat zbierałem zawarte w niej informacje, a jeszcze więcej czasu zajęło mi nadanie im zwięzłości. Właśnie dlatego rozdziały są krótkie, lecz treściwe.

Z tego powodu potrzebujesz zaledwie kilku minut na zrozumienie ich zawartości, a – jeśli chcesz – możesz przeczytać całą książkę w kilka godzin.

Choć może ci się wydać zaskakujące, że sama lektura tej książki zapewni ci szybką zmianę na lepsze, jeszcze przez parę tygodni słuchaj dołączonego treningu na płycie CD, by jeszcze bardziej wzmocnić nowo zdobytą pewność siebie i motywację. Każda rada zawarta na stronach mojej książki i każde ćwiczenie w niej opisane zyskają większą moc, jeśli skorzystasz z treningu. Książka razem z płytą to kompletny system mający uwolnić twoją naturalną pewność siebie i nakłonić cię do działania.

3. Będę ci towarzyszył na każdym kroku

Kiedy twoje nastawienie wobec samego siebie i swojego życia się poprawi, otaczający cię ludzie zaczną to dostrzegać i inaczej cię traktować. Niekiedy poczujesz emanującą z ciebie pozytywną energię, kiedy indziej po prostu zaczniesz zauważać, że ludzie komentują twoją swobodę, wesołość, pewność siebie lub jakąś zmianę w twoim zachowaniu.

Ale po skończeniu lektury tej książki nasza wspólna podróż się nie skończy. Jeśli codziennie będziesz słuchać treningu nagranego na płycie CD i wracać do wybranych fragmentów tej książki, zapewnisz sobie możliwość natychmiastowego podbudowania pewności siebie wraz z poprawą samopoczucia.

Kim się staniesz?

Najważniejsza zasada, jaką poznasz, czytając tę książkę, brzmi:

Stajesz się tym, co praktykujesz.

Większość ludzi przez całe życie ćwiczy powstrzy-mywanie siebie przed dążeniem do realizacji własnych pragnień, a potem oskarża się o to, że tak świetnie im to wychodzi. Stali się ekspertami w bierności, w usprawied-liwianiu swoich porażek przekonaniem, że coś jest z nimi nie w porządku. Nic bardziej mylnego.

Ludzie ponoszą porażki nie dlatego, że nie są idealni – ale dlatego, że porażka to naturalna część procesu odnoszenia sukcesów.

Dla ludzi sukcesu porażka nie oznacza stwierdzenia „czas się poddać" – oznacza, że należy zrobić krok do tyłu, wyciągnąć wnioski z doświadczenia i zrozumieć, że teraz ma się w sobie jeszcze większą gotowość na sukces. Mel Gibson nazywa porażkę czesnym – ceną za życie, jakie chcesz prowadzić.

Błędy i porażki są nieodłącznym składnikiem podróży ku sukcesowi, ale nie powinny cię hamować. Jak mawiają Chińczycy: „Tysiącmilowa podróż zaczyna się od jednego kroku". A twoim pierwszym krokiem jest chwila, w której przewrócisz tę kartkę…

CZĘŚĆ PIERWSZA

NABIERANIE PEWNOŚCI SIEBIE

ROZDZIAŁ PIERWSZY

Przygotuj się na sukces

Naturalna pewność siebie

> „Nie przekreślaj samego siebie – masz tylko siebie".
>
> JANIS JOPLIN

Z pewnością znasz sformułowanie: „Czuć się dobrze we własnej skórze".

To istota naturalnej pewności siebie – komfort bycia sobą, który pomaga mierzyć się z kaprysami losu i zapewnić ci wymarzone życie.

Ten rodzaj pewności siebie nie jest czymś, co u niektórych jest wrodzone, a czego inni nigdy nie osiągną – to gwarantowany wynik codziennych, regularnych ćwiczeń. Proces zostaje uruchomiony, gdy ktoś bierze tę książkę do rąk.

Skup się na chwilę i ze szczegółami wyobraź sobie, jak wyglądałoby twoje życie, gdybyś już teraz był pewny siebie, co działoby się wokół ciebie:

wyluzowany
opanowany
spokojny
mówiący powoli

Jak wyglądałaby twoja postawa?

Jak brzmiałby głos?

Co mówiłbyś samemu sobie?

Co widziałbyś oczami wyobraźni?

Jeśli poświęciłeś chwilę na wyobrażenie sobie tego wszystkiego, istnieją spore szanse, że już teraz czujesz się pewniejszy siebie niż jeszcze parę chwil wcześniej.

Ale jak już wkrótce się przekonasz, pewność siebie to coś więcej niż tylko pozytywne odczucia cielesne – to postawa i podejście do życia, które prowadzą do osiągnięcia sukcesu, zdobycia większej motywacji i nowych możliwości!

Już wiesz, co robić

Nigdy nie przestaje mnie zdumiewać, jak wiele osób przychodzi do mnie i mówi: „Brakuje mi pewności siebie". Kiedy pytam, czy

> *„Jesteśmy tacy jak to, co wielokrotnie powtarzamy. Doskonałość nie jest więc jednorazowym aktem, lecz nawykiem".*
>
> ARYSTOTELES

są tego pewni, śmiało potwierdzają: „Oczywiście, że tak!".

Problem polega nie na ich braku pewności siebie, lecz na tym, że są pewni nieodpowiednich rzeczy. Są niesłychanie pewni tego, że brakuje im pewności siebie.

Czyż nie byłoby wspaniale, gdyby zaczęli automatycznie czuć taką samą pewność wtedy, gdy jest im ona najbardziej potrzebna?

Wyobraź sobie, że stajesz przed grupą ludzi lub wchodzisz na scenę i masz jeszcze więcej pewności siebie niż wtedy, gdy przyszło ci pozostawać na uboczu. Albo że z każdym krokiem nabierasz pewności siebie, podchodząc do jakiejś atrakcyjnej osoby, by zaprosić ją na randkę.

Jeśli to wydaje ci się niemożliwe lub zbyt piękne, by było prawdziwe, czeka cię miła niespodzianka. Już teraz masz umiejętności, które zapewnią ci rozwinięcie w sobie uczucia pewności siebie.

Zastanów się: czy przed podejściem do osoby, która ci się podoba, zapominasz o zdenerwowaniu? Czy kiedykolwiek zdarza ci się nie poczuć tremy przed wystąpieniem publicznym lub ważnym telefonem w sprawie pracy?

Pamiętaj, nasza podstawowa zasada brzmi:

Stajesz się tym, co praktykujesz.

Niektórzy ludzie wyrobili w sobie nawyk bezradności przed wystąpieniem publicznym lub zaproszeniem kogoś na randkę – teraz więc przed podobnym wydarzeniem automatycznie ogarnia ich strach. Mogą nawet zacząć uważać się za osoby, którym wyjątkowo brakuje pewności siebie.

Ludzie sukcesu często znajdowali się w sytuacjach wiążących się z ryzykiem i niepewnością. Ponieważ jednak ćwiczyli zaradność i aktywność, radzenie sobie z ryzykiem i niepewnością w trudnych sytuacjach stało się ich nawykiem. Teraz czują się doskonale we własnej skórze – i ty też możesz się tak poczuć!

Praktyka czyni mistrza

Wibracje sukcesu

Wyobraź sobie, że trzymam dwoje skrzypiec. Kiedy poruszam strunę na jednych, wibruje ta sama struna na drugich. Naukowcy nazywają to prawem rezonansu współczulnego – zjawisko to występuje wtedy, gdy dwa przedmioty są nastrojone na tę samą częstotliwość, a energia z jednego zostaje automatycznie przekazana do drugiego.

> *„Na poziomie energii nie istnieje dawanie czy branie – jest tylko zamknięty obieg energii".*
>
> STUART WILDE

Ludzkie ciało pokrywa złożony system prądów elektrycznych i pól elektromagnetycznych, takie samo zjawisko zachodzi więc również między ludźmi. Wyrażenia takie jak „nadawać na tych samych falach", „czuć te same wibracje" i „zsynchronizować się" to próby opisania naturalnego obiegu energii między dwoma lub więcej ciałami.

Ćwicząc opisane tu techniki, zaczniesz zmieniać swój rezonans i przenosić wibracje na wyższą częstotliwość. Ludzie zaczną dostrzegać twoją rosnącą atrakcyjność, a cele, które chcesz osiągnąć, znacznie się przybliżą. Twoja energia, przyciągając coraz więcej szczęścia i sukcesów, zacznie zmieniać twoje życie na lepsze.

Stopniowe nabieranie pewności siebie

> *„Dzban napełnia się po kropelce".*
>
> BUDDA

Czy chcesz w wyczuwalny sposób w ciągu paru minut nabrać większej pewności siebie?

Co roku tysiące osób po raz pierwszy biorą udział w maratonie. Jeżeli jednak nie jesteś w doskonałej formie fizycznej, nie spodziewaj się, że już za pierwszym razem przebiegniesz ponad 42 kilometry. Jeśli nie ćwiczysz regularnie, możesz mieć problemy z pokonaniem choćby dwóch.

Musisz więc zbliżać się do celu stopniowo, krok po kroku. Na pierwszy raz wyznacz sobie dwukilometrową trasę. W kolejnym tygodniu dodaj jeszcze parę kilometrów, aż w końcu dasz radę przebiec dziesięć. Kolejnym kamieniem milowym będzie półmaraton – około dwudziestu kilometrów.

Pewnego dnia okaże się, że potrafisz pokonać całą trasę maratońską – tak jak najwybitniejsi biegacze na świecie – kilometr za kilometrem.

W taki sam sposób możesz nauczyć się pewności siebie. Gdybym cię teraz poprosił o wyobrażenie sobie, że masz więcej pewności siebie, zrobisz to jedynie w znanych ci granicach – zgodnie z istniejącymi nawykami. Jeśli jednak zaczniesz wyobrażać sobie większą pewność siebie stopniowo, krok po kroku, zdziwi cię własna umiejętność pokonywania ograniczeń, które wcześniej cię przerastały.

STOPNIOWE ZWIĘKSZANIE PEWNOŚCI SIEBIE

Zanim po raz pierwszy wykonasz to ćwiczenie, dokładnie przeczytaj jego opis.

1 Wyobraź sobie, że przed tobą siedzi lub stoi nieco pewniejsza wersja ciebie.

2 Teraz wyobraź sobie, że wstępujesz w ciało tej osoby. Spójrz na świat jej oczami, słuchaj jej uszami i wczuj się w jej emocje. Zobacz – teraz przed tobą stoi jeszcze pewniejsza siebie osoba – nieco wyższa, bardziej wierząca w siebie, emanująca charyzmą.

3 Wciel się w nią. Spójrz – przed tobą stoi jeszcze śmielsza osoba – ma w sobie więcej pasji, siły, jest swobodniejsza i bardziej zrelaksowana.

4 Powtórz krok trzeci, wcielaj się w coraz pewniejsze siebie osoby, aż przepełni cię śmiałość. Pamiętaj, by zwracać uwagę na reakcje własnego ciała – sposób oddychania, mimikę i błysk w oku.

To naprawdę wystarczy!

Paul McKenna

Ćwicząc techniki opisane w tej książce i słuchając dołączonej płyty CD, tak zaprogramujesz swój umysł, by reagował na wyzwania i przeszkody, wywołując w tobie pewność siebie, swobodę działania, przedsiębiorczość i dobre samopoczucie.

Czym nie jest
pewność siebie

Ruch na rzecz pewności siebie

> *„Bądź sobą; wszyscy inni są już zajęci".*
>
> OSCAR WILDE

Kiedy mówiłem ludziom, że piszę książkę o pewności siebie, reakcje były bardzo zróżnicowane. Wielu osobom ten pomysł bardzo się podobał. Mówiły, że już nie mogą się doczekać, kiedy zdobędą większą wiedzę o sposobach na dotarcie do swojego potencjału i tego, czego naprawdę pragną w życiu. Niektórzy jednak wzdychali: „Och, świetnie, poradnik dla karierowiczów".

W latach siedemdziesiątych XX wieku psychologia przeszła fazę zwaną ruchem na rzecz pewności siebie. Modne stały się kursy asertywności, a hasło „Udawaj aż do skutku" było mantrą pokolenia „Ja".

Nikt wówczas nie zdawał sobie sprawy z tego, że wieczne udawanie kogoś, kim się nie jest, przyczynia się jedynie do braku pewności siebie i niskiego poczucia wartości. Cały czas udając kogoś innego, człowiek bardzo źle czuje się we własnej skórze.

Niestety zamiast dążyć do autentyczności, większość ludzi wciąż chowa głowę w piasek i udaje jak tylko może. Na pewno znasz osoby, które wyjeżdżają na weekendowe treningi motywacyjne i na pewno nie przepadasz za ich towarzystwem.

Jeden z moich klientów, człowiek sukcesu, na parę miesięcy przed trafieniem do mnie stopniowo pogrążał się w depresji. Kiedy spytałem, co jego zdaniem może być przyczyną tego spadku nastroju, wspomniał o „nieszkodliwym" nawyku: zawsze nieco koloryzował, opowiadając o swoich sukcesach.

Jeżeli zarobił dziesięć tysięcy funtów w transakcji biznesowej, opowiadał wszystkim, że jego zysk wynosi jedenaście tysięcy. W grze w golfa zawsze przypisywał sobie wynik o dwa punkty lepszy. Zgodnie ze standardami większości osób jego osiągnięcia i tak były wysokie, lecz on trochę je zawyżał, by jeszcze lepiej wypaść w oczach znajomych.

Podczas naszej rozmowy stało się oczywiste, że to właśnie jest głównym źródłem jego problemów. Niezależnie od tego, ile osiągnął, nigdy nie czuł się zadowolony, musiał więc prezentować się światu jako ideał.

Lęk przed przeciętnością

Czy kiedykolwiek spotkałeś osobę, która natychmiast wzbudziła twoją antypatię?

Niektórzy ludzie są aż nazbyt asertywni albo ciągle ci opowiadają, ile mają pieniędzy, kogo znają, jakie sukcesy osiągnęli. Tacy ludzie mylą pewność siebie z arogancją lub tupetem. Mylą popisywanie się z wewnętrzną siłą.

Wiele osób uważanych za aroganckie cierpi na brak pewności siebie.

> *„Mam wrażenie, że ciągle muszę coś udowadniać. Wiele osób liczy na moją porażkę, ale ja to lubię. Lubię być nienawidzony".*
>
> HOWARD STERN

Problem ten zwykle bierze się z tego, co psycholodzy nazywają lękiem przed przeciętnością. Dla takich osób, które żyją w wiecznym strachu, nadmierna pewność siebie to zamaskowana forma ataku na samego siebie – rozpaczliwa próba ukrycia rys na delikatnym i kruchym ego. A kiedy ego dochodzi do głosu, sytuacja zaczyna wymykać się spod kontroli.

Ego, znane również jako osobowość, ma dwa zasadnicze cele:

1 Dobrze wyglądać
2 Mieć rację

Łatwo się zorientujesz, kiedy rządzi tobą ego: wtedy, gdy cały czas i energię poświęcasz na pozowanie przed obiektywami aparatów fotograficznych lub bronisz swojej pozycji.

Kiedy spotykam ludzi prezentujących skrajne postawy życiowe, mam wrażenie, że wywieszają czerwoną flagę symbolizującą brak pewności siebie. Krzykliwy strój lub błazeńskie zachowanie to często próby zrekompensowania lęku przed zwyczajnością.

Co gorsza, ludzie, którym brakuje naturalnej pewności siebie, nie tylko próbują wywyższać siebie, ale też lubią poniżać innych. Wykorzystują swoje bogactwo, sławę lub status jako broń, by zapewnić sobie wyższość moralną czy intelektualną nad takimi śmiertelnikami jak ty czy ja.

Twoje prawdziwe „ja"

Pod wieloma warstwami ego znajduje się twoje prawdziwe „ja" – osoba, która istniała tam, jeszcze zanim otaczający cię świat utworzył z ciebie człowieka, jakiego obecnie zna twoje otoczenie.

To prawdziwe „ja" jest bezcenne, zupełnie wyjątkowe i obdarzone naturalną pewnością siebie. Jego główny cel jest bardzo prosty:

Być autentycznym w każdej sytuacji.

Właśnie dlatego ta książka nie pomoże ci stworzyć jeszcze bardziej przekonującej fasady, którą mógłbyś oszukiwać cały świat. Pozwoli ci jednak skontaktować się z twoim prawdziwym „ja" i przepełni cię ogromną energią, która pomoże ci dążyć do celu.

Przewróć kartkę i wykonaj następujące ćwiczenie:

DOTRZYJ DO SWOJEJ SIŁY

Skup się na chwilę i poświęć trochę czasu na wyobrażenie sobie, jak wyglądałoby twoje życie, gdyby udało ci się lepiej niż teraz czuć się w swojej skórze.

Jak wyglądałaby twoja postawa?

uśmiechnięta prosto otwarta wyluzowana

Zmień pozycję. Usiądź tak, jak byś siedział, gdybyś czuł prawdziwą pewność siebie, siłę i swobodę działania.

Jak brzmiałby twój głos? Co myślałbyś o sobie i o tym, co możesz osiągnąć? Co byś sobie mówił?

Pamiętaj, im częściej będziesz wykonywać te ćwiczenia, tym szybciej zmieni się twoje życie. Jeżeli będziesz sumiennie stosować się do moich rad i w pełni zaangażujesz się w wykonywanie ćwiczeń, w sposób całkowicie naturalny staniesz się pewną siebie i dynamiczną osobą, jaką jesteś w istocie!

Twój niezwykły umysł

Mechanizm umysłu

> *„Ci, którzy nie umieją*
> *zmienić swojego umysłu,*
> *nie umieją niczego".*
>
> GEORGE BERNARD SHAW

Twój umysł jest jak komputer – ma własne oprogramowanie, które pozwala zorganizować sposób myślenia i zachowania. Jeżeli chcesz coś zmienić w swoim zachowaniu, to tylko kwestia uwarunkowania czy też programowania. Po wieloletniej pracy z ludźmi przekonałem się, że większość problemów, z jakimi się borykają, ma to samo źródło – negatywne programy działające w podświadomości.

Ale nasz umysł nie jest ani negatywny, ani pozytywny ze swojej natury. Wszystkie te zachwycające wynalazki, muzyka, filmy, poezja, dzieła architektury i osiągnięcia naukowe są tworem ludzkiego umysłu. Wystarczy rozejrzeć się wokół siebie, by przekonać się o tym, że wszystko, co widzimy, wzięło początek w czyimś umyśle.

Naukowcy często mówią o złożonej budowie ludzkiego mózgu, o miliardach połączeń neuronów. Jednak po latach badań wiadomo, że nasz umysł działa na podstawie kilku prostych zasad. W istocie to zwykła maszyna.

Twoja świadomość

Rozumiemy świat na dwa sposoby – świadomie i nieświadomie. W tej książce będę mówił o nich w skrócie
„świadomość" i „podświadomość".

Świadomość to część umysłu odpowiedzialna za
działanie i świadome myślenie w ciągu dnia. Prawdopodobnie odbierasz ją jako niecichnący głos wewnętrzny,
który uważasz za swoje „ja".

Oczywiście świadomość jest przydatna, ale i niezwykle
ograniczona w zakresie tego, co może samodzielnie osiągnąć. Badania wykazały, że może zajmować się zaledwie
paroma pojęciami naraz. I dlatego przez ogromną większość twojego życia rządzi ta druga część umysłu.

Twoja podświadomość

Podświadomość jest o wiele większą częścią umysłu.
Potrafi w ciągu sekundy przetworzyć miliony informacji
o odczuciach fizycznych, mieści całą twoją mądrość,
wszystkie wspomnienia i inteligencję. To źródło twojej
kreatywności i, co jest najważniejsze dla naszych celów,
przechowuje wszystkie programy dotyczące odrucho-
wego zachowania oraz zarządza nimi.

Podświadomość przypomina funkcję autopilota
w mózgu: dzięki niej wykonujemy wiele czynności

jednocześnie bez konieczności koncentrowania się na nich. Na przykład w dzieciństwie musiałeś się skupić, by porządnie zawiązać sznurówki w butach, zaprzęgając do tego świadomość. Kiedy jednak już opanowałeś ten program, twoja podświadomość nauczyła się tak prowadzić twoje ręce, byś nie musiał świadomie koncentrować na tym działaniu.

Programy te (nawyki) są bardzo przydatne, bo uwalniają naszą świadomość od konieczności myślenia o różnych rzeczach. Nauka prowadzenia samochodu wiąże się z nabywaniem wielu drobnych nawyków: włączaniem świateł, przyspieszaniem, hamowaniem, skręcaniem i tak dalej, które w końcu stają się tak odruchowe, że ostatecznie wystarczy siąść za kierownicą i zadecydować, dokąd chce się jechać.

Jak jednak się przekonamy za chwilę, niekiedy musimy zmienić, usprawnić nasze stare, przestarzałe programy lub całkowicie się ich pozbyć.

Wiele nawyków nabraliśmy w sposób zupełnie przypadkowy i nigdy się ich nie pozbyliśmy. Bywają zupełnie nieprzydatne. Na przykład w dzieciństwie niektórym z nas zarzucano niedoskonałość – przynajmniej w pewnych sferach życia. Jako dorośli nadal pozwalamy, by ten program rządził naszym zachowaniem, nadmiernie się zamartwiamy tym, że nie jesteśmy dość dobrzy i obwiniamy siebie za to, że nie osiągamy tyle, ile byśmy mogli.

Z pewnością ucieszy cię wiadomość, że to wkrótce się zmieni!

Niezwykła moc nawyku

W podświadomych nawykach cudowne jest to, że pozwalają nam wykonywać zadania i podejmować decyzje bez angażowania świadomości. Teoretycznie moglibyśmy przez większość czasu

> *„Najpierw kształtujemy własne nawyki, a potem nawyki kształtują nas".*
>
> JOHN DRYDEN

zastanawiać się nad różnymi rozwiązaniami, ale wtedy nie zostałaby nam ani jedna chwila na zrobienie tego, na co już się zdecydowaliśmy. By nie marnować życia na wieczne deliberowanie i rozważanie milionów możliwości dotyczących własnej postawy i zachowania, rozwinęliśmy w sobie umiejętność automatycznego decydowania.

Na przykład kiedy rano wstajemy z łóżka, nie zastanawiamy się przez dwadzieścia minut nad tym, co zjeść na śniadanie. W powszedni dzień po prostu jemy to co zwykle. Tą samą drogą jeździmy do pracy, czytamy te same gazety i słuchamy tej samej stacji radiowej. Dzień po dniu gotujemy, jemy, wiążemy sznurówki i czeszemy się prawie tak samo jak zawsze.

Wykonujemy tysiąc jeden codziennych zadań, nie myśląc o nich, a jedynie korzystając z mocy nawyku naszej podświadomości. W ten sposób nasze w ogromnej większości nieświadome programy umysłowe pozwalają nam gładko przechodzić przez życie.

Podstawowym mechanizmem, jakim rządzą się te nawyki, jest skojarzenie. Nasza podświadomość za każdym razem zapamiętuje, kiedy dwie rzeczy dzieją się jednocześnie lub jedna po drugiej. Jeżeli ten schemat powtórzy się kilka razy lub ma spory ładunek emocjonalny, następuje skojarzenie. Na przykład kiedy rano dzwoni budzik, „po prostu wiemy", że musimy wstać i pójść do łazienki. Potem wchodzimy do kuchni i „po prostu wiemy", że trzeba nastawić czajnik. Wkrótce mnóstwo drobnych nawyków łączy się w większe.

Mózg to plątanina połączeń nerwowych, a każde nasze działanie tworzy nowe. Za każdym razem, kiedy powtarzamy jakąś czynność, to konkretne połączenie nerwowe wzmacnia się – jak mięsień, który rośnie, w miarę jak go używamy. W ten sposób powstaje nowy nawyk.

Zaprogramowanie podświadomości na jakieś nowe zachowanie najłatwiej dokonuje się poprzez wyobraźnię. Trening nagrany na płycie CD dołączonej do tej książki pomoże ci wielokrotnie odnosić sukcesy w wyobraźni – tak samo jak sportowcy raz za razem wizualizują swoje zwycięstwo, by zagwarantować je sobie w rzeczywistości.

Kiedy pogrążysz się w stanie naturalnej relaksacji, zaprogramuję komputer – twoją podświadomość – tak, by umożliwić ci nabranie pewności siebie w nawykowy sposób. Ważne, by codziennie słuchać tego nagrania. Myśląc o sobie jako o człowieku w naturalny sposób pewnym siebie, wysyłasz odpowiednie sygnały swojej podświadomości, stając się taki w rzeczywistości.

A programowanie już się zaczęło...

Moc pozytywnego dialogu wewnętrznego

Hipnotyzer w twojej głowie

> *„Wolność to stan umysłu,*
> *a zachowasz ją, odpowiednio*
> *ją wychowując".*
>
> ELBERT HUBBARD

Po obejrzeniu moich scenicznych występów wiele osób zdumiewa się tym, że sugestie hipnotyczne, jakie wykonuję podczas pokazu, mają tak silne oddziaływanie. Nie wiedzą, że przez cały czas robią dokładnie to samo we własnej podświadomości.

Na przykład – czy kiedy masz po raz pierwszy coś zrobić, mówisz sobie: „Będzie fajnie!", czy też: „Nie potrafię", „Co ja sobie wyobrażam", a nawet „Chyba zrezygnuję. I tak nigdy nic mi się nie udaje"?

Wszyscy potrzebujemy wewnętrznego głosu, który pomaga nam poruszać się po meandrach życia. Dobrze, że umiemy pomyśleć: „Muszę pamiętać, żeby zadzwonić do Franka" albo „Ona mi się podoba" czy „Zejdź z jezdni – samochód jedzie!".

Jednak zbyt często wykorzystujemy moc dialogu wewnętrznego do tego, by stawiać sobie ograniczenia, jeszcze zanim spróbowaliśmy cokolwiek zrobić. Większość osób nieustannie wmawia sobie złe samopoczucie, bierność i brak pewności siebie, a potem się dziwi, dlaczego wszystkiego się boi!

Wyobraź sobie, że mieszka z tobą ktoś, kto wciąż z pretensją w głosie wytyka ci, że twoje zachowanie znowu było nieodpowiednie. Ile czasu by minęło,

———

zanim naszłaby cię ochota wyrzucić tę osobę ze swojego domu i życia?

Twój umysł to miejsce, w którym rządzisz tylko ty. Jeżeli głos odzywający się w twojej głowie nie wspiera cię, czas zastąpić go takim, który to zrobi. Bo czy ci się to podoba, czy nie, każda decyzja, jaką podejmujesz w życiu, wynika z tego, co mówi ci ten głos.

Co proponujesz?

Zrób eksperyment i wsłuchaj się dzisiaj w swój głos wewnętrzny. Zwróć uwagę na to, ile negatywnych sugestii sobie dajesz. Możesz je spisać, by wyrzucić je z umysłu i przekonać się, ile naprawdę są warte.

Przez następny tydzień, za każdym razem, kiedy przyłapiesz się na myśleniu o sobie w negatywny sposób, zrób tak:

NATYCHMIAST PRZESTAŃ!

Pozwól, że wyjaśnię: nie sugeruję, byś udawał chodzący ideał. Mówię tylko, że kiedy myślisz o sobie w pozytywny sposób, osiągasz o wiele lepsze wyniki.

To, co karmisz, staje się silniejsze. Kiedy przestaniesz siebie krytykować, a zaczniesz sobie kibicować, codziennie będziesz zyskiwać więcej siły i pewności siebie.

Afirmacje to nie wszystko

„Dobre słowa są wiele warte, a niewiele kosztują".

GEORGE HERBERT

Wiele poradników głosi ideę afirmacji, czyli pozytywnych stwierdzeń na własny temat, które należy powtarzać setki razy dziennie, by zaprogramować swój umysł na pozytywne myślenie.

Ale mówienie czegoś na głos ma nieporównywalnie mniejszy wpływ na twoje uczucia i zachowanie niż słuchanie tego samego we własnym umyśle. Jeżeli wychwalasz się na głos, lecz twój głos wewnętrzny powtarza ci, że to same bzdury, jego sugestie za każdym razem wygrają.

Ćwiczenie opisane na następnej stronie pomoże ci wykorzystać moc głosu wewnętrznego do tego, by zwiększyć pewność siebie. Dzisiaj wykonaj to ćwiczenie kilka razy i powtarzaj je tak często, jak tylko możesz, przez parę następnych tygodni, aż wreszcie wejdzie ci w nawyk.

Pamiętaj, robiąc te ćwiczenia i słuchając treningu na płycie CD dołączonej do tej książki, wspólnie nauczymy twoją podświadomość, jak automatycznie nabierać pewności siebie w każdej sytuacji.

ZAPROGRAMUJ SWÓJ UMYSŁ NA ZDOBYCIE PEWNOŚCI SIEBIE I OSIĄGNIĘCIE SUKCESU

Zanim po raz pierwszy wykonasz to ćwiczenie, dokładnie przeczytaj jego opis.

1 Wsłuchaj się w swój głos wewnętrzny. Zadaj sobie pytanie „Gdzie on jest?" i zlokalizuj miejsce, z którego mówi.

2 Teraz wyobraź sobie, że głos ten mówi z wielką pewnością siebie. Jest głośniejszy czy cichszy niż zwykle? Wyraźniejszy? Lepiej go słychać? Silniejszy czy słabszy? Mówi szybciej czy wolniej? Niezależnie od tego, jak brzmi, gdy już masz pozytywne nastawienie i czujesz pewność siebie, umieść jego źródło tam, skąd rozbrzmiewał twój stary głos wewnętrzny.

3 Przez parę chwil pomyśl o negatywnych sugestiach otrzymywanych w ten sposób w przeszłości, na przykład:
„Brakuje mi pewności siebie".
„Fatalnie wypadam podczas wystąpień publicznych".
„Nigdy nie poznam osoby, która się we mnie zakocha".

4 Dla każdego takiego stwierdzenia wymyśl
pozytywny odpowiednik:
„Jestem pewny siebie".
**„Świetnie wypadam podczas wystąpień
publicznych".**
„Nie można się we mnie nie zakochać".
5 Na koniec swoim nowym, pewnym siebie głosem
wewnętrznym powtórz te nowe, pozytywne
sugestie.

To zupełnie inne uczucie, kiedy mówisz do siebie
w ten sposób, prawda?

Pamiętaj, stajesz się tym, co praktykujesz. Ćwicz
mówienie do siebie w pozytywny sposób, aż pozytywne
sugestie wyprą negatywne, i koniecznie wzmocnij efekt,
programując swój umysł dzięki dołączonej płytcie CD!

Filmy
w twojej
głowie

Naturalna zdolność

> *„Nigdy nie oddałem strzału, nawet na treningu, nie wyobraziwszy go sobie najpierw bardzo wyraźnie".*
>
> JACK NICKLAUS

Czy słyszysz czasem, jak ktoś mówi: „Nie wyobrażam sobie, jak miałoby mi się to udać"?

Takie sformułowanie to bardzo silny przekaz dla podświadomości, który nie pozwala dotrzeć do pokładów wrodzonej pewności siebie.

Z doświadczenia wiem, że każdy potrafi dokonać wizualizacji. By to sobie udowodnić, odpowiedz na następujące pytania:

1 Jakiego koloru są twoje drzwi wejściowe?
2 Po której ich stronie znajduje się klamka?

Chcąc odpowiedzieć na któreś z tych pytań, musisz wyobrazić sobie te drzwi. Nie będą tak dokładne ja na fotografii – i bardzo dobrze. Musimy nauczyć się widzieć różnicę między rzeczywistością a wyobraźnią.

Spróbujmy poeksperymentować…

Przypomnij sobie, kiedy ostatnio czułeś się dobrze.
Wróć do tej chwili. Zobacz, co wtedy widziałeś,
usłysz, co wtedy słyszałeś, i poczuj się równie dobrze
jak wtedy. Kilka razy wracaj do tego wspomnienia,
za każdym razem przypominając sobie nowe szczegóły…

Teraz czujesz się dobrze prawdopodobnie dlatego, że:

System nerwowy człowieka nie potrafi odróżnić rzeczywistości od intensywnie przeżywanego wspomnienia.

Kiedy wspominamy szczęśliwe chwile, odtwarzamy przyjemne uczucia z nimi związane. Kiedy myślimy o przykrych wydarzeniach z przeszłości, odtwarzamy również niemiłe emocje, jakie wtedy przeżywaliśmy.

Ale podobnie jak to było z głosem wewnętrznym, ważne jest nie tylko to, co sobie wyobrażamy, również jak to robimy.

Na przykład...

Wróć do tego miłego obrazu, ale tym razem powiększ jego rozmiar. Niech stanie się większy, jaśniejszy i barwniejszy.
Zrób to teraz!

Ogólnie mówiąc, obrazy, które są większe, jaśniejsze i barwniejsze, mają większą intensywność emocjonalną od mniejszych, szarych i niewyraźnych.

Możesz wykorzystać tę samą technikę do usunięcia przykrych emocji związanych z niemiłymi wspomnieniami.

Przypomnij sobie jakieś trochę nieprzyjemne wydarzenie.
Wyobraź sobie, że wychodzisz z własnego ciała i widzisz tył
swojej głowy. Odsuń od siebie to wspomnienie. Kiedy już
znajdzie się co najmniej siedem metrów od ciebie, zmniejsz
jego obraz i pozbawiaj go barw, aż stanie się czarno-biały.
Obserwując to, co przydarzyło się „tamtemu tobie", zacieraj
to wspomnienie, aż zostanie z niego zaledwie niewyraźna
i odległa część twojej przeszłości.

Co się dzieje w twojej głowie?

„Rasą ludzką rządzi
jej wyobraźnia".

NAPOLEON

Wszyscy najlepsi sportowcy używają wizualizacji jako narzędzia treningowego. Raz za razem wyobrażają sobie swoje zwycięstwo dopóty, dopóki ich ciało i umysł nie będą dokładnie wiedziały, co robić.

W miarę jak coraz lepiej zaczniesz uświadamiać sobie własny świat wewnętrzny, zrozumiesz, że cały czas nieświadomie wyświetlasz sobie w głowie filmy. Te „uwewnętrznione obrazy" mają wpływ na twoje uczucia i decydują o poziomie twojej pewności siebie i wynikających z niej zachowań.

Na przykład jeżeli przed publicznym wystąpieniem zaczniesz sobie wyobrażać, jak okropnie będziesz się denerwować albo że zapomnisz, o czym masz mówić, wywołasz w sobie lęk i dyskomfort, które przerodzą się w prawdziwe przerażenie.

Jeżeli natomiast wyobrazisz sobie grupę przyjaznych osób zafascynowanych twoimi słowami, jeżeli wyświetlisz w głowie film, w którym masz dar wymowy i potrafisz zainteresować słuchaczy, to wtedy przed wystąpieniem poczujesz o wiele większą pewność siebie.

Zasada ta ma wiele zastosowań i wiele badań uzasadnia jej prawdziwość. Najnowsze badania nad „architekturą umysłu" wykazały, że powtarzające się schematy myślowe i nawyki dotyczące zachowania prowadzą do fizycznych zmian w strukturze mózgu, co dowodzi, że istnieje fizjologiczna podstawa powtarzających się czynności, a praktyka prowadzi do sukcesu w każdym przedsięwzięciu.

Kiedy słynny amerykański trener futbolu Vince Lombardi przejął drużynę Green Bay Packers, na samym początku wprowadził zasadę, że podczas treningów jego zawodnicy mogą oglądać tylko nagrania meczów, które wygrali, i tylko najbardziej udane akcje.

Jego filozofia była prosta – stajesz się tym, co praktykujesz. Green Bay Packers wygrali dwa pierwsze turnieje Super Bowls i stali się jedną z najlepszych drużyn w historii futbolu amerykańskiego.

A teraz wykonajmy parę intensywnych ćwiczeń wizualizacyjnych, które zwiększą twoją pewność siebie.

FILMY O SUKCESIE

Zanim po raz pierwszy wykonasz to ćwiczenie, dokładnie przeczytaj jego opis.

1 Wyobraź sobie, że oglądasz film o przyszłości, w którym występujesz jako pewniejsza siebie osoba. Zwróć uwagę na każdy szczegół swojego wyglądu i zachowania: wyraz twarzy, postawę i błysk w oku.

2 Oglądając ten film, dostrzeżesz wiele sukcesów odniesionych przez siebie w przeszłości i tych, które są jeszcze przed tobą. Usiądź wygodnie i baw się dobrze!

3 Skoncentruj się, a potem wyjdź ze swojego ciała i wciel się w wersję własnej osoby wyświetloną na ekranie. Patrz jej oczami, słuchaj jej uszami i poczuj to co ona. Niech kolory tego obrazu staną się żywsze, dźwięki głośniejsze, a uczucia silniejsze.

4 W której części twojego ciała uczucie sukcesu jest najsilniejsze? Nasyć je kolorem. Teraz rozciągnij ten kolor od czubka głowy aż po palce u nóg, ponownie nasyć go i wzmocnij.

5 Wróć do swojego ciała, zatrzymując jak najwięcej z uczucia naturalnej pewności siebie i poczucia sukcesu.

Możesz oglądać ten film tak często, jak tylko chcesz, ale zwłaszcza podczas pięciominutowego codziennego treningu pewności siebie, z którym zapoznasz się w rozdziale dziesiątym. Za każdym razem wprowadzaj zamiany, które mogłyby jeszcze bardziej wzmocnić pozytywne uczucia, jakimi cię przepełnia.

Jeśli wyda ci się to pomocne, możesz sobie wyobrażać, że za każdym razem uruchamiasz odtwarzacz DVD z filmem. Dużym ułatwieniem może być też spisanie „scenariusza" i przeczytanie go na głos przed zamknięciem oczu.

Oto przykłady sztuczek twórców filmowych, które pomagają im zwiększyć efekt końcowy:

1 Dobry podkład muzyczny. Wielu sportowców wprowadza się w odpowiedni stan, słuchając przed zawodami dodającej energii muzyki. Aktor Johnny Depp słucha muzyki, kręcąc scenę, by wprawić się w odpowiedni nastrój.

2 Jaskrawe kolory i duże ruchome obrazy – nie bez powodu o wiele przyjemniej ogląda się filmy akcji na ogromnym ekranie, nie zaś w małym czarno-białym telewizorze.

Kiedy już zaczniesz wizualizować sobie więcej sukcesów niż porażek, twoje poczucie pewności siebie i motywacja wzrosną. W wyniku tego zacznie się zmieniać twoje zachowanie. Wkrótce zaprogramujesz się na osiąganie tego, czego pragniesz – bez trudu i wysiłku, z naturalną pewnością siebie.

Dzięki własnemu ciału możesz zmienić swoje życie

Postawa zwycięzcy

> „Nic nie zdradza cię bardziej niż sposób poruszania się".
>
> MARTHA GRAHAM

Twój umysł i ciało połączone są tak zwaną pętlą cybernetyczną. To znaczy, że każda myśl wpływa na samopoczucie fizyczne, a zachowanie ciała ma wpływ na sposób myślenia. Ujmując rzecz prosto, jedno zawsze oddziałuje na drugie.

Czy masz w swoim otoczeniu osobę cierpiącą na depresję? Zwróć uwagę na to, że prawie nigdy nie trzyma się prosto. Przeważnie się garbi i ma spowolnione ruchy.

A teraz pomyśl o wybitnych sportowcach, biznesmenach i innych ludziach sukcesu. Zauważ, że wszyscy mają podobną postawę. Najczęściej chodzą wyprostowani, ale jednocześnie są rozluźnieni. Poruszają się śmiało, z dużą pewnością siebie.

Przeprowadź następujący eksperyment:

Wyobraź sobie, że przez cały twój kręgosłup aż do głowy biegnie srebrna struna. Delikatnie podtrzymuje tył głowy, zapewniając ciału wyprostowaną sylwetkę.

Przez parę dni ćwicz siedzenie i poruszanie się w ten sposób. Wprowadzając tę jedną jedyną zmianę w posturze, wysyłasz zestaw informacji samemu sobie i światu. Mówisz w ten sposób: jestem pewny siebie! Wkrótce pamięć twoich mięśni się zresetuje i ta nowa postawa wejdzie ci w nawyk.

Punkt siły

Wiele lat temu na wystawie poświęconej zdrowiu minąłem niskiego, niepozornego mężczyznę w stroju do sztuk walki. Razem z przyjacielem zaczęliśmy z nim rozmawiać o aikido. Wyjaśnił nam, że aikido

> *„Sekretem dobrej techniki jest trzymanie dłoni, stóp i bioder prosto i zachowanie równowagi. Wtedy możesz się poruszać z większą swobodą. Środek ciężkości znajduje się na pępku. Jeśli umieścisz tam swój umysł, zapewnisz sobie zwycięstwo w każdym przedsięwzięciu".*
>
> MORIHEI UESHIBA, TWÓRCA AIKIDO

to obronna sztuka walki, w której wykorzystuje się energię przeciwnika, zachowując idealną równowagę ciała.

Ku naszemu zachwytowi zgodził się zademonstrować nam tę technikę. Poprosił, bym go delikatnie popchnął. Był ode mnie dobre trzydzieści centymetrów niższy, więc gdy to zrobiłem, od razu stracił równowagę.

Uśmiechnął się i powiedział: „A teraz proszę popchnąć mnie jeszcze raz". Zrobiłem to, ale tym razem coś się zmieniło – ani drgnął. Kazał mi popchnąć się mocniej, więc użyłem całej swojej siły, ale miałem wrażenie, że zmagam się z betonową ścianą.

Znowu się uśmiechnął i powiedział: „Niech przyjaciel panu pomoże". Razem z przyjacielem, z którego był kawał chłopa, naparliśmy na niego z całych sił, ale bez skutku. Kiedy ktoś zatrzymał się i zadał mu pytanie, a człowiek ten odpowiedział spokojnie, jęknęliśmy i znowu – bez sukcesu – naparliśmy na niego.

Kiedy w końcu się poddaliśmy, spytałem go, jak to, do licha, zrobił. Wyjaśnił, że kiedy skupiamy uwagę na samym środku ciała, stajemy się fizycznie i psychicznie silniejsi.

Zaproponował, żebym pomyślał o czymś lub o kimś, kto wydaje mi się stresujący. Od razu do głowy przyszedł mi mój szef. Mężczyzna poprosił, żebym zapomniał o tej sali i ludziach, którzy mnie otaczają i umieścił umysł w swoim brzuchu. Spróbowałem skupić się na środku własnego ciała. Wtedy mocno szturchnął mnie w ramię, a ja ledwie to poczułem. Czułem się nie tylko fizycznie silniejszy, ale i spokojniejszy. Kiedy poprosił, bym jeszcze raz pomyślał o swoim szefie, zauważyłem, że przestałem się denerwować – byłem silny.

Powinieneś opanować do perfekcji to samo ćwiczenie. Możesz je wykonywać w potencjalnie trudnych sytuacjach lub jako doraźne narzędzie, które pomoże ci zachować równowagę ciała i umysłu, nabrać pewności siebie i odnieść sukces.

PUNKT SIŁY

Zanim po raz pierwszy wykonasz to ćwiczenie, dokładnie przeczytaj jego opis.
Uwaga: za pierwszym razem łatwiej ci będzie, jeśli skorzystasz z czyjejś pomocy, ale równie dobrze możesz wykonać je samodzielnie.

1 Wstań i skup się na punkcie siły – miejscu znajdującym się około dwóch–trzech centymetrów nad pępkiem i mniej więcej w połowie między pępkiem a kręgosłupem. Po japońsku ten punkt nazywa się *hara*. Uważa się, że to fizyczny środek ciała i miejsce przechowywania *czi*, czyli siły życiowej. Jeśli tak ci będzie łatwiej, połóż dłoń nad tym miejscem. Mnie lepiej wykonuje się to ćwiczenie, jeśli kładę kciuk na pępku. Spróbuj też wyobrazić sobie kulę energii emanującej stamtąd.

2 A teraz zastanów się, co cię martwi lub denerwuje. (Pomijając poważne fobie, zacznij od czegoś drobniejszego). Jeśli masz pomocnika, poproś, by cię lekko szturchnął w ramię. Przekonasz się, że od razu stracisz równowagę.

3 Myśl dalej o tej trudnej sytuacji. Oceń swój niepokój w skali od jednego (spokój) do dziesięciu (prawdziwa panika).

4 A teraz ponownie skup się na punkcie siły. Połóż tam dłoń, by poprowadzić umysł we właściwym kierunku. Poproś pomocnika, by delikatnie cię po-pchnął. Jeśli będzie miał z tym problemy, to znaczy, że jesteś w punkcie siły.

5 Cały czas skupiając się na tym miejscu, myśl o sytuacji, która najbardziej cię stresuje. Jeśli przedtem twój niepokój został oceniony na dziesięć punktów, teraz na pewno stracił na sile. Poproś pomocnika, by lekko naparł na twoje ramię. Cały czas koncentruj się na punkcie siły.

6 Kiedy już nie czujesz niepokoju, myśląc o stre-sującej sytuacji, możesz wykorzystywać skupianie się na punkcie siły do ćwiczenia efektywności w działaniu. Kiedy znajdziesz się w trudnej sy-tuacji, połóż dłoń na tym punkcie, by zachować spokój i koncentrację.

ROZDZIAŁ SIÓDMY

Inteligencja emocjonalna

Dlaczego czujemy to, co czujemy?

> *„Poskromiliśmy dzikie zwierzęta i ujarzmiliśmy błyskawice... ale musimy jeszcze poskromić samych siebie".*
>
> H.G. WELLS

Ostatnie badania naukowe wykazały, że emocjonalne usposobienie człowieka kształtuje się w ciągu kilku pierwszych lat życia. Jeżeli tylko w naszym życiu nie zajdzie jakaś drastyczna zmiana, większość z nas nie czuje się ani zdecydowanie lepiej, ani zdecydowanie gorzej niż w tym czasie.

Wykonując ćwiczenia opisane w tej książce i słuchając dołączonej płyty CD, możesz zmienić swoje usposobienie. Nadal będziesz doświadczać całej gamy uczuć, ale twoje „górki" będą wyższe, a „doły" już nie tak głębokie.

Ludzie często uważają, że ponieważ codziennie uczę opisywanych tu technik i sam je stosuję, nigdy nie czuję się źle ani nieswojo. W większości sytuacji wolę czuć się dobrze, lecz zawsze zastanawiam się nad swoimi uczuciami i nad tym, jakie mają dla mnie znaczenie.

Twoje uczucia to nie tylko doznania cielesne, które wywołują lepsze lub gorsze samopoczucie. To ważna część twojej inteligencji. Poprzez uczucia podświadomość mówi ci, że w twoim życiu dzieje się coś, na co musisz zwrócić baczniejszą uwagę.

Przez wiele stuleci zachodnia kultura wysoko ceniła tłumienie i ignorowanie reakcji emocjonalnych. To podejście jest nie tylko złe, ale i niebezpieczne.

Wyobraź sobie, że prosisz kogoś, by obudził cię rano, bo masz coś ważnego do zrobienia. Ta osoba najpierw cicho wypowiadała twoje imię, delikatnie tobą potrząsała, aż wreszcie zaczęła krzyczeć. W końcu musiała zrzucić cię z łóżka lub oblać cię zimną wodą, by wywołać u ciebie jakąkolwiek reakcję.

Taka brutalna pobudka przydarza się wielu osobom, które uparcie ignorowały własne emocje, szukając zapomnienia w pracy, alkoholu, jedzeniu czy narko-tykach, zamiast zająć się trudnymi uczuciami w chwili, gdy te się pojawiają. Im bardziej je ignorują, tym bardziej intensywne stają się ich emocje, aż wreszcie pojawia się depresja, gniew, przemoc czy choroby, których już nie da się bagatelizować.

To podejście na szczęście zaczyna się zmieniać. Wraz z pojawieniem się poradników i kursów dotyczących inteligencji emocjonalnej tak naukowcy, jak i społeczeń-stwo zaczynają doceniać znaczenie kontaktu z najgłębiej skrywanymi uczuciami.

Jak zwiększyć inteligencję emocjonalną

> *„Szczęście człowieka polega nie na braku namiętności, ale na umiejętności panowania nad nią".*
>
> Anonim

Uczymy się i rozwijamy, poznając i starając się zrozumieć trudne uczucia. Emocje to nasz szósty zmysł – zmieniają się i ewoluują w miarę upływu czasu, bo zmienia się nasze życie i my sami.

Ważne jest, by umieć rozróżniać emocje płynące z podświadomych reakcji na obrazy i dźwięki w głowie od tych głębszych, niosących ważny przekaz.

Oto jak je rozróżnić:

Kiedy doświadczasz trudnych emocji, zmień to, co mówisz do siebie w myślach, obrazy, które widzisz we własnym umyśle, i sposób, w jaki reaguje twoje ciało.
Jeśli te emocje nadal wracają, może to oznaczać, że podświadomość ma ci do przekazania coś ważnego.

Na przykład jeśli wyobrazisz sobie udane wystąpienie publiczne i przestaniesz się denerwować, to znaczy, że nie warto było się martwić. Jeżeli po dokonaniu takiej wizualizacji nadal czujesz się nieswojo, musisz zadać sobie pytania: „Na co mam zwrócić uwagę? Co podświadomość chce mi przekazać?".

Im lepszy będziesz mieć kontakt z własnymi uczuciami, tym większą zyskasz kontrolę nad własnym życiem i tym szybciej zaczniesz odbierać przekaz z podświadomości i wykorzystywać go w życiu. W ten sposób wzrośnie twoja inteligencja emocjonalna.

Uczenie się na własnych emocjach

Jednym z najważniejszych punktów zwrotnych w naszym życiu jest chwila, gdy przestajemy tłumić uczucia czy odwracać od nich uwagę, a zaczynamy się wsłuchiwać w przekaz, jaki leży u ich podłoża.

> *„Nie istnieje wiedza bez uczuć".*
> ARNOLD BENNETT

Oto kilka najpowszechniejszych przekazów, jakie dostajemy niemal codziennie, i refleksje na temat ich znaczenia:

Gniew to zazwyczaj znak, że została naruszona jedna z naszych zasad lub granic – albo przez nas samych, albo przez kogoś z zewnątrz. Przekaz jest taki, że powinniśmy podjąć działanie na rzecz tego, co uważamy za słuszne, bądź – w niektórych wypadkach – pogodzić się z sytuacją, której nie możemy zmienić.

Lęk to ostrzeżenie przed nadciągającym niebezpieczeństwem, znak, by mieć się na baczności. Jeśli masz się na baczności lub jeśli przeżywasz lęk w sytuacji, w której zwykle czujesz się swobodnie, może to oznaczać prawdziwe ostrzeżenie przed fizycznym zagrożeniem.

Frustracja rodzi się w sytuacji, gdy nie osiąga się rezultatów, jakie się zaplanowało. Przekaz zazwyczaj jest taki, że należy zastanowić się nad poziomem swojego zaangażowania i/lub strategią działania. Wtedy możesz zmienić stopień zaangażowania, porzucić swój cel lub zmienić strategię działania.

Poczucie winy pojawia się wtedy, gdy nie spełniasz własnych standardów postępowania. Przekaz jest bardzo prosty – nie rób tego nigdy więcej i zrób wszystko, by naprawić swój błąd!

Smutek wynika z wrażenia, że czegoś brakuje w życiu – albo dlatego, że to utraciliśmy, albo dlatego, że straciliśmy z tym kontakt. Przekaz jest jasny: należy jednocześnie doceniać to, co straciliśmy, i cieszyć się z tego, co nadal mamy. W niektórych wypadkach należy walczyć o odzyskanie utraconego obiektu – na przykład gdy utraciliśmy czyjąś miłość lub porzuciliśmy swoje marzenia.

Jeśli na powyższej liście nie odnajdujesz swoich uczuć lub ich opis nie pasuje do twoich emocji, wykonaj poniższe ćwiczenie, które pomoże ci się wsłuchać w swoje uczucia i przekaz, jaki ze sobą niosą.

MĄDROŚĆ EMOCJONALNA

Zanim po raz pierwszy wykonasz to ćwiczenie, dokładnie przeczytaj jego opis.

1 Sprecyzuj uczucie, które cię nęka. Nie zastanawiaj się, DLACZEGO czujesz to, co czujesz – skup się na samych emocjach. W którym miejscu twojego ciała umiejscowiło się to uczucie? Czy pojawia się ono w konkretnych okolicznościach, porach, miejscach lub w towarzystwie określonych osób?

2 Teraz zadaj sobie pytanie, jaki przekaz to uczucie ma dla ciebie. Jeśli nie wiesz na pewno, możesz zgadywać – każdy domysł podpowiada ci intuicja.

3 Daj znać swojej podświadomości, że przekaz został odebrany. Jeśli konieczne jest podjęcie jakiegoś działania, obiecaj jej, że zrobisz to jak najszybciej – najlepiej w ciągu najbliższej doby.

4 Zorientujesz się, że udało Ci się właściwie określić to uczucie i jego przekaz, jeśli zacznie zanikać, a na pierwszy plan wysunie się twoja naturalna pewność siebie i dobre samopoczucie.

ROZDZIAŁ ÓSMY

Wiara w siebie

Czy „uwierz w siebie"
to tylko wytarty slogan?

> „To brak wiary w siebie
> sprawia, że ludzie boją się
> podejmować wyzwania.
> Ja w siebie wierzę".
>
> MUHAMMAD ALI

Czy wierzysz w siebie? Czy uważasz, że ma to znaczenie?

W jednym z najbardziej szczegółowo przeprowadzonych badań na temat wpływu wiary w siebie na efektywność działania psycholog Albert Bandura wykazał, że wiara we własne możliwości to o wiele dokładniejszy wyznacznik efektywności działania niż jakiekolwiek inne czynniki, które wskazywano wcześniej.

Innymi słowy to, jak myślisz o sobie w odniesieniu do wyzwań, jakie stawia ci życie, ma ogromny wpływ na to, czy odniesiesz sukces.

Mechanizm ten określa się mianem samospełniającej się przepowiedni.

Moc przepowiedni

...nie znasz pojęcie samospełniającej się przepowiedni.
...zachowuje się osoba, która uważa, że
...że nikt nigdy się nią nie zainteresuje?

Czy podejdzie do osoby, która się jej podoba?

A jeśli tak, to czy będzie się zachowywać śmiało?

Czy skupi się na tym, by ta osoba czuła się w jej obecności dobrze i swobodnie?

Czy zareaguje, kiedy ktoś okaże jej zainteresowanie, czy też to zignoruje?

Z powodu podejścia do samych siebie ludzie przekonani o braku własnej atrakcyjności nigdy nie podejmują działań, które mogłyby zachwiać tym przekonaniem. Dlatego sami prowokują sytuacje potwierdzające własną nieatrakcyjność.

W końcu dochodzą do wniosku, że nie ma sensu nawet próbować, więc ich przepowiednia się spełnia.

Na szczęście możemy wykorzystać moc samospełniającej się przepowiedni do zwiększenia pewności siebie i prawdopodobieństwa odniesienia sukcesu.

Dysonans poznawczy

W roku 1955 Marion Keech, charyzmatyczna kobieta w średnim wieku, zaczęła twierdzić, że otrzymuje przekazy z planety Clarion. Dowiedziała się z nich, że 21 grudnia wielka powódź zniszczy świat, a kosmici w latających talerzach uratują tylko ją i jej wiernych zwolenników.

> *„Już pod koniec lat sześćdziesiątych wiedziałem, że mi się uda. Wiedziałem, że jestem stworzony do wielkich rzeczy. Ludzie twierdzą, że to brak skromności. Przyznaję im rację. Skromność ma się do mnie nijak – i mam nadzieję, że to się nigdy nie zmieni".*
>
> ARNOLD SCHWARZENEGGER

Przygotowując się do tego historycznego dnia, wielu z jej zwolenników rzuciło pracę, sprzedało swoje domy i rozdało pieniądze (w końcu tamtego roku nie musieli kupować prezentów gwiazdkowych).

Rankiem 21 grudnia pani Keech i jej wyznawcy zebrali się na szczycie góry, czekając na kosmitów. Ku ich zdumieniu latające spodki się nie pojawiły. Na szczęście nie przyszła też wielka powódź.

Być może myślisz, że gorzko się rozczarowali – w końcu pozbyli się swych dóbr materialnych – kiedy jednak Marion Keech oznajmiła, że dostała nowy przekaz – świat uniknie apokalipsy dzięki wierze jej wyznawców i światłu, które sprowadzili na Ziemię – zaczęli wiwatować.

Zamiast wrócić do domów ogołoconych z mebli i wystawiać się na przytyki rodziny, skierowali się do mediów, by opowiedzieć o tym cudownym wydarzeniu.

Dlaczego zdrowi psychicznie ludzie ulegli takiemu szaleństwu?

Dlatego, że jedną z podstawowych funkcji umysłu jest udowadnianie, iż ma rację. Według psychologa

---

społecznego Leona Festingera próba pogodzenia ze sobą dwóch sprzecznych informacji, przekonań czy opinii (określana mianem dysonansu poznawczego) powoduje taki dyskomfort, że ludzie podświadomie próbują zlikwidować ten konflikt, zmieniając jedno z tych przekonań – lub oba – by lepiej do siebie pasowały.

Innymi słowy twój umysł stara się działać w zgodzie z tym, co wcześniej mówiłeś i w co wierzyłeś. Nie staniesz się bogaty, jeśli wiecznie krytykujesz zamożnych ludzi – twój umysł się na to nie zgodzi. Tak samo jeśli będziesz ciągle tylko zazdrościł pewnym siebie ludziom sukcesu, twój umysł nie zechce się do nich przyłączyć.

Czy z jednej strony bardzo chcesz nabrać pewności siebie i śmiałości, lecz z drugiej strony coś cię przed tym powstrzymuje? Jeśli tak, to znaczy, że sabotujesz własne wysiłki – zaczynasz odnosić sukcesy, lecz nagle kopiesz pod sobą dołki. To trochę tak, jakby ktoś prowadził samochód, jedną nogą przyciskając pedał gazu, a drugą hamulec.

Na następnej stronie znajdziesz proste ćwiczenie, dzięki któremu uwolnisz napięcie twórcze i zwiększysz swoją pewność siebie w każdej sytuacji.

Ćwicząc tę technikę, z coraz większą łatwością zaczniesz rozwiązywać każdy konflikt wewnętrzny. Kiedy już wszystkie części twojej psychiki zaczną ze sobą współpracować i dążyć w tym samym kierunku, niczym promień lasera skupisz się na swoim celu!

JAK STWORZYĆ SPÓJNĄ WIARĘ W SIEBIE

Zanim po raz pierwszy wykonasz to ćwiczenie, dokładnie przeczytaj jego opis.

1 Określ dwa sprzeczne ze sobą przekonania lub dwie takie postawy w swoim umyśle. Na przykład być może z jednej strony chcesz zyskać więcej pewności siebie, ale z drugiej strony boisz się tego, bo obecna postawa zapewnia ci bezpieczeństwo.

2 Wyciągnij ręce przed siebie wnętrzem dłoni do góry. Jeśli jesteś osobą praworęczną, wyobraź sobie, że pewna siebie część twojego „ja" znajduje się w prawej ręce, a ta bojaźliwa w lewej. Leworęczni oczywiście powinni zrobić odwrotnie.

3 Spytaj każdą z tych części, jakie są jej pozytywne intencje. Powtarzaj to pytanie, dopóki nie przekonasz się, że na pewnym poziomie obie chcą tego samego. Nawet jeśli masz wrażenie, że to same wymysły, przejście przez ten proces wywoła ogromne zmiany w twoim poziomie pewności siebie i wiary w siebie.

Przykład:
Pewność siebie => większa przedsiębiorczość => większa efektywność => SUKCES!

**Bojaźliwość => większa ostrożność =>
większa efektywność => SUKCES!**

4 Między swoimi dłońmi ujrzyj oczami wyobraźni sobie nowe „superja", które łączy w sobie pewność siebie z bojaźliwością.

5 Tak szybko jak tylko możesz złącz dłonie, by dwie części twojego „ja" stały się jednym „superja".

6 Przyłóż ręce do piersi i wchłoń to nowe „ja".

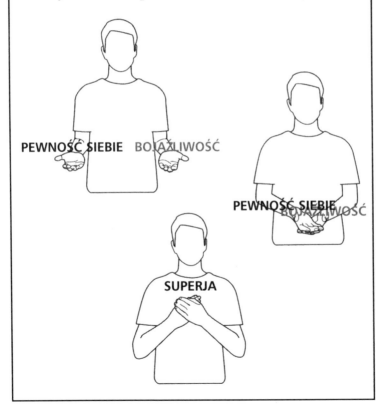

Naprawdę możesz wszystko!

Ucz się na sukcesach innych

> „Najlepszymi
> nauczycielami ludzkości są
> życiorysy wybitnych osób".
>
> CHARLES H. FOWLER

Czy zdarzyło ci się patrzeć na osobę, która jest w czymś wyjątkowo dobra, i marzyć, by być jak ona?

Pewność siebie, optymizm, poczucie bezpieczeństwa, siła przekonywania, talent sportowy czy biznesowy to coś, czego można się nauczyć i opanować do perfekcji. Każdą umiejętność, jaką obdarzony jest ktoś inny, możesz posiąść i ty.

Być może wydaje ci się, że niektórzy po prostu są mądrzejsi, bardziej utalentowani bądź mają więcej szczęścia. Prawda zaś jest taka, że wszystko udaje im się tak doskonale dzięki sekwencji myśli i zachowań, które ćwiczyli dotąd, aż weszły im w nawyk i stały się automatycznym programem do osiągania sukcesu.

Programowanie Andre Agassiego zaczęło się wtedy, gdy ojciec powiesił nad jego kołyską grzechotkę zrobioną z piłek tenisowych. Tiger Woods odbijał piłki golfowe w wieku, gdy większość dzieci dopiero uczy się chodzić.

Dzieci nie rodzą się z siłą przekonywania, twórcze czy z talentem do tenisa – uczą się tego w prostym dwufazowym procesie:

1 Kopiowania lub wzorowania się na zachowaniu innych.
2 Wielokrotnego powtarzania nowo wyuczonej umiejętności (umysłowo i fizycznie), aż wejdzie w nawyk.

W dzieciństwie każdy z nas obserwował, w jaki sposób chodzą jego rodzice, a potem próbował to naśladować. Oczywiście wiele razy się przewrócił, zanim w końcu złapał równowagę, ale zasadniczo powtarzał to, co robili rodzice, ćwiczył tę umiejętność, aż nauczył się wykonywać tę czynność samodzielnie.

Tak samo uczymy się prowadzić samochód po wieloletnich obserwacjach i zbudowaniu modelu w swoim umyśle. Następnie ćwiczymy każdy element procesu kierowania samochodem, aż opanujemy go do perfekcji.

Proces ten można przyspieszyć, stosując go w sposób świadomy i uzupełniając praktykę fizyczną niezwykłą mocą umysłu.

Wzorowanie się na innych działa

Za każdym razem gdy chcę się dowiedzieć i zrozumieć, jak ktoś coś robi, zaczynam od obserwowania zachowania tej osoby. Następnie staram się wczuć w jej fizyczność i używam ciała tak samo jak ona, aż nowe zachowanie stanie się dla mnie czymś naturalnym.

> *„Przykład ma więcej zwolenników niż rozsądek".*
> John Christian Bovee

Naśladując cielesność osoby pewnej siebie, zaczniesz wyrabiać w sobie te same nawyki myślowe. Pamiętaj, że ciało i umysł są silnie ze sobą związane, więc jeśli tak samo będziesz się posługiwać swoim ciałem jak twój wzór, zaczniesz mieć i podobne myśli.

Na przykład kiedy zacząłem pracować w telewizji, zebrałem stos nagrań z występami osób, które uważałem za wyjątkowo pewne siebie, naturalne i charyzmatyczne. Te cechy osobowości zawsze podziwiałem najbardziej.

Obejrzałem te nagrania, a następnie usiadłem wygodnie, zamknąłem oczy i odtworzyłem je sobie w wyobraźni, wcielając się w swoich idoli. Stałem tak jak oni, tak samo się poruszałem, mówiłem takim samym tonem i w takim samym rytmie.

To niezwykłe – zacząłem się czuć zupełnie inaczej. W moje ciało wstąpiła spokojna czujność, a kiedy spojrzałem na świat z perspektywy tych telewizyjnych osobowości, wszystko wydało mi się łatwiejsze.

Powtarzałem ten proces, tak programując swój umysł, by nowa wiedza głęboko zapadła w pamięć mojego ciała. Już po krótkim czasie sam poczułem się rozluźniony i pewny siebie przed kamerą.

Zróbmy to teraz razem:

GENERATOR MOŻLIWOŚCI

Zanim po raz pierwszy wykonasz to ćwiczenie, dokładnie przeczytaj jego opis.

1 Pomyśl o osobie, od której chcesz się nauczyć pewności siebie i charyzmy.

2 Przypomnij sobie sytuację, w której osoba ta wykazała się tymi cechami.

3 Dokładnie wyobraź sobie tę sytuację. Zrób to kilka razy – w zwolnionym tempie, jeśli wolisz.

4 Wciel się w tę postać i zsynchronizuj się z jej postawą. Patrz jej oczami, słuchaj jej uszami i poczuj się tak samo pewny siebie jak ona.

5 Jeszcze raz dokładnie wyobraź sobie tę wzorcową sytuację, tym razem osobiście w niej występując.

6 Zrób to kilka razy, aż z całą mocą poczujesz, jak to jest być tą osobą.

Stojąc, oddychając, uśmiechając się, mówiąc i poruszając się jak twój model, zaczniesz wyrabiać w sobie takie same myśli i stany wewnętrzne jak on. Twoje życie zacznie się zmieniać.

Pamiętaj jednak, by starannie dobrać wzór – to naprawdę działa!

Codzienne pięciominutowe ćwiczenia na zwiększenie pewności siebie

Uwarunkuj się na sukces

> „Wszystko sprowadza
> się do praktyki".
>
> PELE

Jakiś czas temu włączyłem telewizyjny kanał BBC, by obejrzeć program *Jak być szczęśliwym*. Prowadzący, dr Robert Holden (www.happiness.co.uk), często określany mianem psychologa szczęścia, zajął się trojgiem osób cierpiących na depresję, chcąc sprawdzić, czy w dość krótkim czasie uda mu się uczynić z nich szczęśliwszych ludzi.

Każdy z uczestników został poddany badaniom naukowym, które miały ustalić poziom aktywności w lewym przedczołowym płacie mózgowym, co jest miarodajnym wskaźnikiem poziomu szczęścia doświadczanego w życiu. W ciągu kilku kolejnych miesięcy naukowcy mieli sprawdzić, czy ludzie ci stali się w sposób widoczny szczęśliwsi.

Kiedy zobaczyłem martwy wyraz twarzy uczestników, wychyliłem się w stronę ekranu i pomyślałem: „Już nie mogę się doczekać, kiedy doktor uszczęśliwi tych nieszczęśników". W programie tym dr Holden poprosił ich o zrobienie jedynie trzech rzeczy:

1. Ćwiczenia fizyczne

Zostało udowodnione, że wysiłek fizyczny to wspaniałe naturalne lekarstwo na depresję. Dzieje się tak dzięki adrenalinie i innym substancjom chemicznym, które zostają uwalniane do naszego krwiobiegu i likwidują napięcie mięśniowe. Ponadto regularne ćwiczenia fizyczne uwalniają naturalne opiaty, zapewniając na parę godzin uczucie ciepła, relaksu i komfortu. Po jakimś czasie te pozytywne emocje stają się nowym naturalnym stanem twojego ciała.

2. Śmiej się dwadzieścia minut dziennie

Udowodniono, że śmiech, nawet jeśli początkowo jest wymuszony i sztuczny, poprawia nastrój i samopoczucie. Tak samo jak to jest w wypadku ćwiczeń fizycznych, powoduje wydzielanie się endorfin, dzięki którym czujemy się doskonale. Już samo uśmiechanie się wpływa na uwalnianie serotoniny (neuroprzekaźnika szczęścia) do krwiobiegu i działa jako silny środek przeciwdepresyjny.

3. Myśl pozytywnie

Każdy z uczestników programu umieścił w swoim domu i pracy kolorowe karteczki. Na ich widok miał pomyśleć o czymś przyjemnym, co wzmacniało szlak bodźców nerwowych w mózgu odpowiedzialnych za uczucie przyjemności i podnosiło poziom hormonów szczęścia w ich ciałach.

W ciągu pierwszego miesiąca każde z tych nowych zachowań stało się automatyczne i nawykowe. Po zakończeniu eksperymentu jego uczestnicy wrócili na uniwersytet, gdzie znowu zmierzono aktywność ich mózgów. Wyniki okazały się tak zdumiewające, że jeden z naukowców zażądał sprawdzenia aparatury.

Wszyskie badane osoby – początkowo oceniane jako klinicznie depresyjne – zmieniły się w wyjątkowo optymistyczne – przeszły z jednego krańca skali na drugi!

Nastąpiły w nich takie zmiany neurologiczne, które sprawiły, że stali się szczęśliwsi. Kiedy pod koniec programu ludzie ci opowiadali o swoich doświadczeniach, było oczywiste, że ich osobowości zmieniły się na lepsze. Wyglądali nie tylko na szczęśliwszych, ale i na młodszych.

Od tamtej pory Robert i ja kilkakrotnie pracowaliśmy razem. Ostatnio powiedział mi, że dzięki metodzie programowania umysłu, którą opisywałem w swoich książkach, zmiany u uczestników jego badań zachodziły jeszcze szybciej.

Włączyłem do swojego programu stosowane przez niego elementy codziennych ćwiczeń i wzmocnienie pozytywne. Ćwicząc techniki, które tu opisuję, i słuchając dołączonej płyty CD, i ty zmienisz się tak, że zaczniesz w każdej sytuacji reagować śmielej i działać z większą motywacją.

To niezwykłe, że zaledwie parę minut codziennych ćwiczeń może wprowadzić w twoje życie tak głębokie i trwałe zmiany.

_____

Codzienne pięciominutowe ćwiczenia na zwiększenie pewności siebie

Złota zasada mojej książki brzmi: „Stajesz się tym, co praktykujesz". A musisz ćwiczyć tylko cztery rzeczy, by stać się pewną siebie osobą.

1. **Mów do siebie z dużą śmiałością.**
2. **Wyświetlaj w swojej wyobraźni duże, wyraźne, pozytywne obrazy.**
3. **Używaj swojego ciała tak, jak robi to osoba pewna siebie.**
4. **Codziennie przynajmniej raz podejmuj jakieś ryzyko.**

Im częściej będziesz ćwiczyć, tym większej pewności siebie nabierzesz. Wkrótce zaczniesz odruchowo reagować na nowe sytuacje z pewnością siebie, nie zaś z lękiem; z wiarą w siebie, a nie z wątpliwościami.

Opracowałem ten pięciominutowy trening, by pomóc ci w nabraniu nawyku, jakim jest pewność siebie. Razem z dołączoną płytą CD zmieni całe twoje życie. Potrzebujesz tylko kartki, lustra i 5 z 1440 minut, z jakich składa się twój dzień.

Minuta pierwsza: filmy o sukcesach

Poświęć minutę na wyświetlenie w swojej wyobraźni filmów, o których pisałem w rozdziale piątym. Możesz oglądać sukcesy, które już udało ci się osiągnąć, lub te, które dopiero chcesz osiągnąć. Pamiętaj, by stosować nasycone kolory i duże, żywe obrazy!

Minuta druga: lustro

1 Stań przed lustrem i zamknij oczy.
2 Pomyśl o kimś, kto cię kocha, i spójrz na siebie oczami tej osoby.
3 Otwórz oczy i przejrzyj się w lustrze. Wciąż patrz na siebie oczami osoby, która szczerze cię kocha.

Minuta trzecia: praw sobie komplementy

Wciąż patrząc w lustro, pewnym siebie głosem wewnętrznym przez całą minutę praw sobie komplementy. Jeśli przychodzi ci to z trudem, to znaczy, że jest ci to jeszcze bardziej potrzebne. Pamiętaj, zmieniasz swą energię tak, by przyciągnąć w życiu więcej rzeczy, których pragniesz.

Minuta czwarta:
naciśnij guzik z napisem „pewność siebie"

1 Przypomnij sobie sytuację, w której towarzyszyła ci ogromna pewność siebie. Wróć do niej – zobacz, co wtedy widziałeś, usłysz, co słyszałeś, i poczuj się tak samo dobrze jak wtedy. (Jeśli nie możesz sobie przypomnieć takiej sytuacji, wyobraź sobie, o ile lepiej wyglądałoby twoje życie, gdyby nie brakowało ci pewności siebie – mocy, energii i wiary we własne siły).

2 Wspominając tę sytuację, nasyć kolory, podkręć głośność i wzmocnij swoje uczucia.

3 Teraz złącz kciuk i środkowy palec obu dłoni.

4 Ze złączonymi palcami pomyśl o sytuacji, która ma się wydarzyć w ciągu najbliższych 24 godzin i w której chcesz odczuwać dużą pewność siebie. Wyobraź sobie, że wszystko idzie jak z płatka, dokładnie tak, jak to zostało przez ciebie zaplanowane. Zobacz, co wtedy będziesz widział, usłysz to, co będziesz słyszał, i przekonaj się, jakie to wspaniałe uczucie!

Minuta piąta:
pewność siebie w działaniu

1 Poświęć tę minutę na spisanie każdego pomysłu, jaki ci przyszedł do głowy podczas wykonywania tego ćwiczenia.

2 Wybierz przynajmniej jeden, który łączy się z choć mi-
nimalnym ryzykiem, jakie chciałbyś podjąć w ciągu
najbliższych dwóch godzin!

Z każdym kolejnym treningiem twoja wiara w siebie
i komfort wewnętrzny będą się zwiększać. W przeci-
wieństwie do ćwiczeń w siłowni tu nie potrzebujesz
przerw na regenerację. Im częściej będziesz ćwiczyć, tym
bardziej wzrośnie twoja pewność siebie!

CZĘŚĆ DRUGA

ZYSKAJ MOTYWACJĘ DO OSIĄGNIĘCIA SUKCESU

Jaka jest twoja motywacja?

Wizyta w przyszłości

> *„Motywacja popycha cię do przodu. Nawyk każe ci iść dalej".*
>
> JIM RYUN

Do tej pory skupialiśmy się przede wszystkim na pewności siebie – uczuciu komfortu, siły i swobody w działaniu. Ale pewność siebie to tylko połowa sukcesu. Od samej pewności siebie twoje życie nie zmieni się na lepsze. By dokonać poważnych zmian, musisz codziennie działać.

Zrób to teraz.

Wyobraź sobie przyszłość,
parę lat przed końcem swojego życia.
Nie zrobiłeś nic, by je zmienić.
Jak się czujesz?
Co możesz zrobić, by do tego nie doszło?

A teraz wróć do teraźniejszości.

Znowu wyobraź sobie przyszłość,
bliski koniec swojego życia.
Tym razem jednak zrobiłeś wszystko,
co w twojej mocy, by poprawić swoje życie.
Jak się czujesz?
W jaki sposób zmieniła się twoja przyszłość?
Co byś zmienił, a czego nie chciałbyś zmieniać?

Każdego z nas coś popycha do przodu i każdego coś hamuje. Unikalne połączenie tych dwóch czynników to twój klucz do sukcesu!

Motywacja od zaraz

Każdy z nas ma w sobie ziarenko motywacji. Na przykład gdyby twój dom płonął, czy siedziałbyś na kanapie, dopóki nie skończyłby się ulubiony serial, i dopiero wtedy zadzwoniłbyś po straż pożarną, by uratować siebie i najbliższych? Gdybyś wygrał na loterii, czy zwlekałbyś parę tygodni z odebraniem swoich milionów?

> *„To, co widzimy, zależy głównie od tego, czego szukamy".*
>
> SIR JOHN LUBBOCK

W każdym z tych przykładów guzik włączający i wyłączający motywację znajdowałby się poza tobą. A gdyby tak sterować nią samodzielnie, nie czekając, aż uruchomią ją czynniki zewnętrzne?

Wystarczy zajrzeć do internetu, by przekonać się, że ludzie potrafią znaleźć przyjemność niemal we wszystkim (podobno). Wyobraź sobie, że możesz świadomie znaleźć motywację do osiągnięcia wszystkiego, czego pragniesz.

Montel Williams, prowadzący talk-show, były sierżant amerykańskich marines, poprosił, bym w jego programie zaprezentował tę zasadę. Zaprosił mężczyznę, który nie miał najmniejszej motywacji, by sprzątać u siebie w domu. Któregoś dnia o jedenastej rano odwiedziłem go z kamerą. Leżał na kanapie z puszką piwa.

Kiedy spytałem, kiedy ostatnio czuł silną motywację, nie mógł sobie przypomnieć ani jednego przykładu. Zauważyłem stojące pod ścianą kije do bilardu, więc spytałem, czy lubi tę grę. Cała jego postawa się zmieniła, a na twarzy pojawił się promienny uśmiech. Zaczął z ożywieniem opowiadać o grze w bilard na pieniądze.

Poprosiłem, by przypomniał sobie jedną z najciekawszych rozgrywek i stworzył guzik włączający motywację – podobny do guzika włączającego pewność siebie, o którym pisałem w rozdziale pierwszym. By guzik ten zadziałał jeszcze silniej, poprosiłem mężczyznę, żeby przypomniał sobie jakieś wyjątkowo podniecające doświadczenie seksualne, a potem sytuację, w której pomyślał: „A co tam! Zrobię to!", i dodaliśmy te emocje do włącznika motywacji. Tym razem motywacja go aż rozsadzała!

Pozostało tylko połączyć ogromne podniecenie i oczekiwanie na coś przyjemnego ze sprzątaniem domu. Poprosiłem, by wcisnął guzik, myśląc o sprzątaniu, i by powtarzał to kilkakrotnie. Skończyło się na tym, że niemalże musieliśmy go powstrzymywać siłą przed rozpoczęciem sprzątania, jeszcze zanim wyszliśmy.

Parę minut później wesoło prasował w salonie, a obok kuchennego zlewu lśniła sterta świeżo zmytych naczyń. Jedyny problem polegał na tym, że mężczyzna tak silnie skojarzył szum odkurzacza z czymś przyjemnym, że ciągle go włączał, by wciąż dostarczać sobie miłych wrażeń. Niespełna godzinę po tym, jak znaleźliśmy go rozwalonego na kanapie, musieliśmy opuścić jego dom, by mógł pobyć sam na sam z odkurzaczem, który tak bardzo pokochał!

A do czego ty najbardziej pragniesz się zmotywować?

Poniższe ćwiczenie da ci moc tworzenia motywacji we wszystkich okolicznościach.

JAK WŁĄCZYĆ MOTYWACJĘ

Zanim po raz pierwszy wykonasz to ćwiczenie, dokładnie przeczytaj jego opis.

1 Zastanów się, do czego pragniesz się silnie zmotywować.

2 A teraz przypomnij sobie, kiedy ostatnio towarzyszyła ci silna motywacja – kiedy udało ci się podjąć działanie i coś zmienić w swoim życiu. Wróć teraz do tej chwili – zobacz, co wtedy widziałeś, usłysz, co słyszałeś, i poczuj to, co czułeś.

   Jeśli nie możesz przypomnieć sobie takiej sytuacji, wyobraź sobie, o ile lepiej wyglądałoby twoje życie, gdyby towarzyszyła ci motywacja do podjęcia działania. Wyobraź sobie, jak świetnie można się poczuć, mając mnóstwo pewności siebie, siły, nieustępliwości i determinacji.

3 Wspominając tamtą sytuację, nasyć kolory i spotęguj uczucia. Z ogromną pewnością siebie powiedz głosem wewnętrznym: „Idź do celu!".

4 Przeżywając te dobre uczucia, ściśnij kciuk i środkowy palec obu rąk. Od tej pory za każdym razem, kiedy będziesz je ściskać, poczujesz się doskonale.

5 Kilkakrotnie powtórz kroki 1–4, za każdym razem dodając nowe, pozytywne uczucie motywacji, aż samo ściskanie palców wywoła w tobie wspaniałe samopoczucie.

6 Nadal ściskając kciuk i środkowy palec, zastanów się nad sytuacją, w której chcesz mieć większą motywację. Wyobraź sobie, że wszystko układa się idealnie, dokładnie po twojej myśli. Zobacz, co wtedy będziesz widzieć, usłysz, co będziesz słyszeć, i poczuj, jak to wspaniale wziąć się do działania i zmienić coś w swoim życiu!

Już po jednorazowym wykonaniu tego ćwiczenia, ożywisz ogromną siłę w swoim życiu. Wówczas o wiele łatwiej będzie ci osiągać założone cele, bo zyskasz władzę nad swoją motywacją.

A więc co zrobisz z resztą swojego życia?

ROZDZIAŁ DWUNASTY

Cel

Potęga celu

> *„Człowiek to zwierzę szukające celu. Jego życie ma sens tylko wtedy, gdy może do czegoś dążyć".*
>
> ARYSTOTELES

Wszystko, co do tej pory osiągnąłem, to wynik planowania. Nie oznacza to, że w moim życiu nigdy nic nie wydarzyło się spontanicznie – to znaczy tylko tyle, że zawsze starannie określam kierunek, w którym zmierzam.

Badania stale wykazują, że posiadanie celu znacznie zwiększa prawdopodobieństwo osiągnięcia sukcesu, a życiorysy ludzi sukcesu potwierdzają tę tezę. Jeśli więc chcesz coś osiągnąć, musisz mieć cel – ale ogromne znaczenie ma to, w jaki sposób go tworzysz.

Wielkość ma znaczenie

Twój cel powinien być na tyle duży, by dał ci motywację do wstania z łóżka. „Nieco większa wydajność w pracy" lub „zrzucenie pięciu kilo" to zbyt mało znaczące cele. Ty potrzebujesz naprawdę DUŻYCH celów – takich, które rozniecą twoją pasję i zmuszą cię do działania. Wtedy wszystko, co robisz, stanie się o wiele prostsze. Jak mówi Donald Trump: „Codziennie przelatuje ci przez głowę pięćdziesiąt tysięcy myśli, a wszystkie mogą być znaczące!".

Kiedyś bardzo trudno mi było wstać z łóżka i zabrać się do pracy. Próbowałem wstawać nieco wcześniej lub budzić się pełen energii, ale nic nie działało. W końcu któregoś dnia usiadłem i zacząłem opracowywać WIELKIE cele – własny program telewizyjny, założenie własnej firmy i wprowadzenie ogromnych zmian w swoim życiu. Początkowo nie zauważałem żadnej różnicy, ale widzieli ją ludzie z mojego otoczenia.

Pamiętam, że o piątej rano wyskakiwałem z łóżka i jechałem na północ Anglii, by wystąpić w programie telewizyjnym. Moja dziewczyna pytała, skąd mam tyle energii. Kiedy się nad tym zastanowiłem, dostrzegłem drobne elementy, które złożyły się na całość, jaką był mój sukces. Myśląc o WIELKICH celach, już nie miałem żadnych problemów ze wstawaniem z łóżka.

Kogo obchodzi, czego nie chcesz?

Kiedy byłem dzieckiem, mama często powtarzała mi i mojemu bratu: „Nie palcie papierosów". Zanim zaczęła o tym mówić, nawet nie przyszło mi do głowy, by zacząć palić, ale po paru takich ostrzeżeniach tak się zaciekawiłem, że pobiegłem za ogrodową szopę i zacząłem palić jak smok.

Historia ta przypomniała mi się parę lat temu, kiedy zacząłem pracować z doskonałym golfistą, który nagle przestał trafiać piłeczką do celu. Kiedy poszedłem z nim na pole golfowe, by poobserwować jego grę, zaskoczyło mnie, że nie tylko nie trafiał w dołek, ale wciąż odbijał piłeczkę na piach. Po zadaniu mu paru pytań zrozumiałem, co się dzieje.

Za każdym razem, kiedy ustawiał się do odbicia piłki, wyobrażał sobie, że chybia, stawiał czerwony krzyżyk w miejscu, w które piłeczka nie powinna polecieć, i powtarzał sobie: „Nie wolno mi jej tam odbić". Innymi słowy programował się dokładnie na to, czego nie chciał.

Przy następnym dołku poprosiłem golfistę, by myślał o tym, że nie trafi. Popatrzył na mnie jak na wariata, ale zrobił, co mu kazałem. Piłeczka wylądowała jakiś metr od dołka.

Zadziałało to tak świetnie, bo nie chcąc czegoś zrobić, najpierw musisz pomyśleć, że właśnie to robisz. Spróbuj na przykład nie myśleć teraz o słoniach. Żadnych słoni!

Właśnie dlatego w tworzeniu WIELKICH celów tak ważne jest skupianie się wyłącznie na tym, czego naprawdę chcesz. Wielokrotnie wyobraź sobie, że osiągasz swój cel. Nie wyobrażaj sobie, że za każdym razem odniesiesz sukces – wyobraź sobie, co się stanie, jeśli go osiągniesz!

Chodzi tylko o ciebie

Kolejnym błędem, jaki popełniają ludzie, zaczynając pracować nad WIELKIMI celami, jest próba zmiany zachowania innych osób. „Chcę, żeby mój mąż częściej zapraszał mnie do restauracji" czy „Chcę, żeby szef traktował mnie z większym szacunkiem" to nie cele, lecz marzenia i – choć szalenie przyjemne – nie zmienią twojego życia, dopóki nie poprzesz ich działaniem.

> „Każdy z nas ma jakiś talent. Chodzi o to, jak go wykorzystujemy".
>
> STEVIE WONDER

Umysł człowieka co prawda jest potężny, ale nikt jeszcze nie odkrył, jak kontrolować wszystko, co się z nami dzieje, lub to, co robią inni ludzie. Mamy jednak ogromną kontrolę nad własnymi uczuciami i zachowaniem. Cele takie jak „Przynajmniej trzy razy w tygodniu będę chodzić do restauracji" czy „Będę zachowywać się tak, by bardziej mnie szanowano w pracy" to podejście, które daje ci kontrolę nad sytuacją.

Podziel swoje cele na etapy,
a działanie będzie łatwiejsze

„Nic nie jest wyjątkowo trudne, jeśli podzielisz to na kilka drobniejszych zadań".

HENRY FORD

Znajomy aktor zagrał kiedyś główną rolę w teatrze na West Endzie. W porównaniu z filmami składającymi się z krótkich scen rzadko trwających więcej niż parę minut myśl o nauczeniu się trzygodzinnej kwestii wydała mu się przytłaczająca.

Kiedy poprosił mnie o pomoc, zaproponowałem, by podzielił sztukę na dwie części, a następnie każdą z nich na poszczególne sceny. Nagle okazało się, że ma do opanowania kilkanaście krótkich scen, nie zaś jedną ogromną.

Kiedy uczył się każdej z nich, przekonał się, że coraz łatwiej mu je łączyć. Nawet gdy starał się zdobyć entuzjastyczne recenzje, nigdy nie myślał o więcej niż jednej scenie naraz.

Kiedy ludzie ustanawiają swoje WIELKIE cele, są trochę przerażeni ich rozmiarami i boją się, że nigdy ich nie osiągną. Dzieląc je jednak na drobniejsze fragmenty, przekonasz się, że możesz osiągnąć wszystko, co sobie założysz.

Jak niewielki powinien być każdy fragment?

Na tyle nieduży, by każde kolejne działanie można było podjąć w ciągu najbliższych dwudziestu czterech godzin.

Cztery proste kroki do sukcesu

Wystarczy, że zapamiętasz tylko tyle:
1 Twórz cele na tyle WIELKIE, by mieć motywację do wstania rano z łóżka.
2 Skup się na tym, czego pragniesz, i tylko na tym.
3 Upewnij się, czy wszystkie cele dotyczą ciebie.
4 Podziel cele na mniejsze fragmenty, by ułatwić sobie działanie.

Kiedy już opracujesz kilka WIELKICH celów, które naprawdę inspirują cię do działania, twoje życie zacznie się zmieniać w ogromnym tempie. By jednak podtrzymać to tempo, musisz zrobić jeszcze jedną rzecz...

Wyrób w sobie nawyk działania

Klucz do sukcesu

> *„Nie musisz widzieć*
> *całych schodów – po prostu*
> *pokonaj jeden stopień".*
>
> MARTIN LUTHER KING

Niedawno mój znajomy w rekordowym czasie założył własną firmę. Kiedy spytałem, jak mu się to udało, odparł, że było to szalenie proste.

„Uświadomiłem sobie, że jeżeli codziennie będę rozmawiał o swoim projekcie z pięcioma osobami, miesięcznie dowie się o nim sto pięćdziesiąt osób. Mój pomysł był dobry, więc mogłem liczyć, że wśród tych osób na pewno znajdzie się taka, którą on zainteresuje".

Szczególnie ciekawe było to, że w ciągu paru pierwszych dni dosłownie się zmuszał do tego, by dzwonić do ludzi. Za każdym razem, gdy brał słuchawkę do ręki, czuł się nieswojo, a głos wewnętrzny mówił mu, że to nie ma sensu i że nikt się nie zainteresuje jego projektem. Miał tego już tak dosyć, że sobie odpuścił, zignorował to uczucie i po prostu wziął się do działania. Trzeciego dnia dyskomfort znacznie się zmniejszył i mojemu znajomemu coraz łatwiej było przeprowadzać te rozmowy.

Pod koniec pierwszego tygodnia uczucie dyskomfortu przed zadzwonieniem ogarniało go na niecałą sekundę. Łatwiej mu było podnieść słuchawkę, niż tego nie zrobić. Dobił targu, jeszcze zanim doszedł do pięćdziesiątej osoby.

Jaki był jego klucz do sukcesu?

**Podejmował działanie codziennie,
aż wreszcie osiągnął swój cel!**

Jeśli codziennie działasz, by osiągnąć swój cel, z każdym kolejnym dniem coraz łatwiej podejmować ci działanie. Dzieje się tak dlatego, że – podobnie jak w wypadku każdej powtarzającej się czynności – działanie wchodzi w nawyk.

Nikt nie przychodzi do pracy nago, po czym uderza się w czoło, mówiąc: „Nie do wiary! Zapomniałem się ubrać!".

To dlatego, że tyle razy przed wyjściem z domu ćwiczymy ubieranie się, iż stało się ono naszym nawykiem – neurofizjologicznym programem w systemie nerwowym.

Jeśli zastosujesz tę samą prostą logikę przy osiąganiu WIELKICH celów, wkrótce do mistrzostwa opanujesz nawyk działania. Zapisz swoje cele w widocznym miejscu. Codziennie przynajmniej raz zrób coś, co cię zbliży do ich osiągnięcia. W ten sposób uruchomisz niepowstrzymaną siłę rozpędu, ułatwiając sobie poruszanie się w wybranym kierunku.

Znaczenie niepewności

> *„Zawsze próbuję robić to,*
> *czego nie potrafię – w ten*
> *sposób się uczę".*
>
> PABLO PICASSO

Największym błędem, który ogranicza pewność siebie i wydajność, jest czekanie na całkowitą pewność, zanim podejmie się działanie. Ludzie sukcesu rozwinęli w sobie nawyk podejmowania działania, jeszcze zanim czują się całkowicie gotowi.

Czy kiedykolwiek zdarzyło ci się, że zaświtał ci pomysł na jakiś produkt lub usługę, po czym w jakimś czasopiśmie lub sklepie pojawiło się jego urzeczywistnienie? Różnica między tobą a osobą, która wprowadziła ten pomysł w życie, jest prosta – ona zabrała się do działania.

Być może powiesz, że nie udało ci się czegoś zrobić, bo zabrakło ci gotowości, pamiętaj jednak, że Arkę Przymierza zbudowali amatorzy, Titanica zaś profesjonaliści. Oto prawdziwy sekret nawyku działania:

Ludzie sukcesu podejmują działanie,
jeszcze zanim czują się w pełni gotowi!

Nawyk działania to program umysłowy, który reaguje na nieznane, idąc do przodu, zamiast się cofać. Nie ignoruje potencjalnego zagrożenia, ale również nie poddaje się lękowi. Zamiast czekać na pewność, zachęca cię do zbierania informacji, a potem zrobienia pierwszego kroku, jeszcze zanim nabierzesz całkowitej pewności. Kiedy już działasz, możesz dostosować kierunek do obranego celu.

Nawyk działania nie tylko zaprowadzi cię tam, dokąd zmierzasz, ale również zapewni ci uczucie ogromnej satysfakcji. Badacz mózgu Gregory Berns wykazał w licznym eksperymentach, że wbrew oczekiwaniom większości ludzi to w niepewności znajduje się źródło satysfakcji.

Ludzie lubią to, co znajome, ale to nowe zachowania przynoszą najwięcej korzyści. Im więcej dzieje się tak, jak się tego spodziewamy, tym mniej dostrzega nasz mózg. Kiedy jednak doświadczamy czegoś nowego lub niespodziewanego, mózg się ożywia i uwalniają się ogromne ilości dopaminy (hormonu motywacji). Kiedy już osiągasz cel, mózg cię nagradza, uwalniając serotoninę (hormon szczęścia). To z kolei zwiększa motywację do robienia nowych rzeczy i w fizyczny sposób wzmacnia molekularną budowę mózgu, zwiększając umiejętność odczuwania jeszcze większej satysfakcji.

Wyuczona bezradność

„*Obstawaj przy swoich ograniczeniach, a z pewnością staną się częścią ciebie samego*".

RICHARD BACH

Wiele lat temu w pewnym amerykańskim zoo był niedźwiedź, który mieszkał w klatce o długości zaledwie dziesięciu metrów. Całymi dniami chodził po niej w tę i z powrotem. W końcu zebrano dość pieniędzy na budowę wielkiego wybiegu z drzewami, skałami, a nawet wodospadem. Wreszcie nadszedł dzień, kiedy dźwigiem przeniesiono tam klatkę z niedźwiedziem. Usunięto bolce trzymające ją w całości i niedźwiedź znalazł się w nowym otoczeniu.

Jak myślisz, co się wtedy stało? Czy nasz niedźwiedź do końca swoich dni żył w szczęściu i radości, ciesząc się z nowo odzyskanej wolności?

Niestety nie. Jego nowe środowisko było przepiękne, lecz on aż do śmierci poruszał się po niewielkiej powierzchni zbliżonej do tej, jaką miał w klatce.

Podobnie jak ten niedźwiedź ludzie szybko przystosowują się do swoich ograniczeń. Zjawisko to, określane przez naukowców mianem wyuczonej bezradności, stanowi jedną z przyczyn depresji, bierności i zachowań, które przynoszą skutek przeciwny do zamierzonego.

Wyjście jest szalenie proste – aktywnie dąż do swojego celu, zwłaszcza jeśli jeszcze nie czujesz w sobie gotowości do jego osiągnięcia. Za każdym razem, kiedy uda ci się wyjść poza swoje ograniczenia, mózg nagrodzi cię dawką dopaminy, większą pewnością siebie, satysfakcją i doskonałym samopoczuciem.

Życie również cię nagrodzi.

Waluta bogów

Skok do przodu

> „Działanie pociąga za sobą koszty i ryzyko, ale o wiele mniejsze niż te, które wiążą się z wygodną biernością".
>
> JOHN F. KENNEDY

Podejmowanie ryzyka to zasadnicza część twojej podróży ku sukcesowi. W pracy z ludźmi sukcesu i wybitnymi sportowcami przekonałem się, że istnieje ogromna różnica między śmiało podejmowanym ryzykiem a aktami zuchwałości.

Wiele osób powstrzymuje się przed działaniem, uznając je za zbyt ryzykowne. Zawodowi ryzykanci niekoniecznie są odważniejsi, a jedynie lepiej przygotowani. Zanim ruszą do przodu, zawsze pokonują trzy etapy: rozpoznają ryzyko, oceniają je, a następnie się z nim mierzą.

Musisz działać:

1. Rozpoznaj potencjalnie korzystne lub nieuniknione ryzyko

Zasadniczo istnieją dwa rodzaje ryzyka – narzucane nam z zewnątrz i takie, które podejmujemy sami w nadziei na większą lub szybszą nagrodę.

Możesz się przekonać, że jakieś działanie lub metoda działania są ryzykowne, albo jeśli podpowiada ci to intelekt, albo jeśli na myśl o tym czujesz niepokój lub dyskomfort.

2. Oceń równowagę między ryzykiem a nagrodą

Kiedy bukmacherzy obstawiają wyniki meczu lub przedsięwzięć pojedynczych osób, podejmują decyzje na podstawie prawdopodobieństwa – rozważają szanse na to, czy osoba, którą obstawiają, odniesie sukces czy porażkę. Proste narzędzie, jakie możesz wykorzystać w podobnej sytuacji, to ustalenie dwóch liczb w skali od 1 do 10.

Pierwsza liczba określa potencjalną korzyść, czyli nagrodę. Jak ją ocenisz w skali od 1 do 10?

Druga liczba to potencjalna strata, czyli ryzyko. Jak ją ocenisz w skali od 1 do 10?

Oto magiczne równanie:

**Potencjalna nagroda – potencjalne ryzyko
= liczba działania**

Dodatnia liczba działania oznacza, że warto podjąć ryzyko. Ujemna liczba działania to znak, że nie warto go podejmować.

Na przykład niektórzy oszukują, płacąc podatki. Dla większości z nich korzyść to 1 (kilka zaoszczędzonych dolarów), potencjalna strata zaś (kontrola, grzywny i więzienie) to 10.

Z drugiej strony jeśli korzyść zaproszenia na randkę osoby, która bardzo ci się podoba, to 10 (być może się pobierzecie i założycie rodzinę), a ryzyko to 2 (może odmówić), bierz się do działania!

3. Postanów, czy chcesz podjąć ryzyko

Kiedy już to postanowisz, weź się do działania!

Pamiętaj, ludzie sukcesu podejmują działanie, jeszcze zanim czują całkowitą gotowość. Tu pomogą ci wszystkie narzędzia, które do tej pory proponowałem w tej książce. Motywacja to pewność siebie w działaniu – a pewność siebie w działaniu zaprowadzi cię do WIELKIEGO celu i pozwoli spełnić wszystkie marzenia!

PODEJMOWANIE RYZYKA DLA ZABAWY I KORZYŚCI

Zanim po raz pierwszy wykonasz to ćwiczenie, dokładnie przeczytaj jego opis.

1 Zastanów się nad rzeczą, którą chcesz zrobić, która jednak wydaje ci się nieco ryzykowna lub nie w twoim stylu.

2 Oceń w myśli, czy to bezpieczne – sprawdź, czy przy okazji nie skrzywdzisz siebie lub kogoś innego.

3 Zaplanuj, kiedy to zrobisz – najlepiej tego samego dnia – jeśli jednak to niemożliwe, zrób to w ciągu najbliższych 72 godzin.

4 Kiedy nadejdzie odpowiednia chwila, zwróć uwagę na znajomy przypływ adrenaliny, powiedz sobie: „Ach, co mi tam!" i bierz się do działania!

5 Na chwilę może ogarnąć cię niepokój, pamiętaj jednak, że po drodze znajdziesz wszystkie narzędzia potrzebne do działania.

Nie przyjmuj odpowiedzi odmownej

Joanna, Kelly i James

> *„Porażka to postawa życiowa,*
> *a nie wynik działania".*
>
> HARVEY MACKAY

Joanna była samotną matką żyjącą na zasiłku, która ledwie wiązała koniec z końcem za siedemdziesiąt funtów tygodniowo. Właśnie rozstała się z partnerem. Postanowiła w wolnym czasie zająć się pisaniem książki dla dzieci. Co rano siadała w miejscowej kafejce i pisała. Po południu wracała do domu, by się zająć swoją córką Jessicą.

Kiedy wreszcie skończyła książkę, rozesłała ją do wydawnictw. Niestety wszyscy ją odrzucali, często dołączając zniechęcający komentarz: „Za długa dla dzieci".

W końcu jeden z wydawców zdecydował się zapłacić Joannie niewielką zaliczkę i wydać książkę. Dziś przygody Harry'ego Pottera to jeden z największych sukcesów literackich wszech czasów, Joanna Rowling to jedna z najpopularniejszych pisarek na naszej planecie, a jej majątek jest szacowany na pół miliarda funtów!

James był wynalazcą. Miał pomysł na produkt, który ułatwiłby życie wielu gospodyniom domowym – nie mógł jednak wdrożyć go do realizacji. Po pięciu latach i 5127 próbach miał działający prototyp, ale nie potrafił nim nikogo zainteresować. Pomimo kolejnych porażek nie porzucał swojego marzenia. Wreszcie, po dziesięciu latach pełnego determinacji i nieustępliwości działania, zaczęto produkować odkurzacze

Jamesa Dysona, które wkrótce stały się szalenie popularne na całym świecie.

Kiedy Kelly się urodziła, jej matka miała zaledwie osiemnaście lat. Dzięki talentowi sportowemu szybko stała się znana w całym kraju. Pomimo swojego potencjału porzuciła karierę sportową i wstąpiła do wojska. Zainspirowana widokiem byłej koleżanki szkolnej biorącej udział w międzynarodowych zawodach, wróciła do Wielkiej Brytanii i zaczęła się przygotowywać do udziału w olimpiadzie.

I wtedy wydarzyła się tragedia. Wykryto u niej raka. Wydawało się, że znowu będzie musiała zrezygnować ze swoich marzeń – tym razem na zawsze. A jednak Kelly Holmes na olimpiadzie w Atenach wygrała biegi na 800 m i 1500 m i stała się trzecią lekkoatletką w historii, która tego dokonała. Pomimo biedy w dzieciństwie, wielokrotnych kontuzji i choroby zagrażającej życiu stała się inspiracją dla milionów ludzi.

Wytrwałość

Co pozwoliło J.K. Rowling, Jamesowi Dysonowi czy Kelly Holmes iść do przodu w obliczu przeszkód pozornie nie do pokonania?

Ani od życia, ani od innych osób nie przyjmowali odpowiedzi odmownej.

> *"Jeśli przechodzisz piekło, idź dalej".*
>
> WINSTON CHURCHILL

W niektórych prymitywnych plemionach szaman mógł się stać mędrcem, czarownikiem i uzdrowicielem dopiero wtedy, gdy wygrał jakąś walkę. Wierzono, że przez rany wstępuje w niego ogromna mądrość. Zgodnie z prawami natury blizny tworzą się dzięki najsilniejszej tkance ciała, nawet jeśli powstały w wyniku poważnych obrażeń.

A jednak większość z nas uważa, że porażka to powód do poddania się, a każda przeciwność losu to wymówka, by nie podążać do celu. Prawda jest taka, że porażka to jedynie kwestia percepcji.

Wiele razy słyszałem: „Próbowałem hipnozy, by rzucić palenie, ale nie udawało mi się". Kiedy pytałem tę osobę, czy naprawdę nawet na jeden dzień nie rzuciła palenia, odpowiedź zwykle brzmiała tak: „No, przestałem palić na parę miesięcy, ale potem znowu zacząłem. Szkoda, że się nie udało".

„Jak to nie udało się? – mówię wtedy. – Oczywiście, że się udało!".

Skoro możesz przestać palić na miesiąc, to możesz i na dwa, na pół roku, rok lub na zawsze. Musisz jednak wykonać pierwszy krok.

Czy wyobrażasz sobie rodzica, który w ten sposób traktuje swoje dziecko dopiero uczące się chodzić? Takiego, który przy każdym upadku by mu radził, by się poddało? „Och, synku, ty chyba już nigdy nie nauczysz się chodzić".

Zastanów się. Przypomnij sobie, kiedy ostatnio poniosłeś porażkę. Czy rzeczywiście ci się nie udało?

Pamiętaj, że porażka to nie to samo co nieodniesienie zwycięstwa. Porażką nie jest również sytuacja, w której sprawy nie ułożyły się dokładnie po twojej myśli, czy odrzucenie przez osobę, z którą wiązały się jakieś twoje oczekiwania.

Przede wszystkim musisz zadać sobie następujące pytanie:

I co z tego?

Nie udało ci się wygrać albo zrealizować swoich planów. Ktoś cię odtrącił. I co z tego?

Wciąż żyjesz, a jutro dostaniesz kolejną, może jeszcze wspanialszą szansę. Potraktuj porażkę jako lekcję, dzięki której w przyszłości łatwiej ci będzie osiągnąć cel.

Ludzie sukcesu uważają porażkę za chwilowe zwolnienie tempa i z wielkim entuzjazmem szukają nowych sposobów na pokonanie przeszkody i powrócenie na drogę do sukcesu.

Kiedy już zaakceptują fakt, że nie ułożyło się tak, jak to sobie zaplanowali, zadają sobie następujące pytania:

Co jest wyjątkowego w tym problemie?
Jak mogę to wykorzystać na swoją korzyść?
Co mam zrobić, by odnieść sukces?

Na seminariach szkoleniowych, które prowadzę, uczestnicy kursu wykonują ćwiczenie, które ma im pomóc odzyskać kontrolę nad postrzeganiem wydarzeń w ich życiu.

Na przykład:
„Płacę zbyt wysokie podatki".

„Na pewno dużo zarabiasz".

„Żona ciągle mnie krytykuje".

„Musi jej na tobie bardzo zależeć".

Jeden z uczestników powiedział kiedyś smutnym tonem: „Żona rzuciła mnie dla innego mężczyzny". Na parę chwil wszyscy ucichli, po czym któraś z kobiet odezwała się szeptem: „No to teraz on musi się z nią użerać!". Grupa wybuchnęła śmiechem, a mężczyzna mógł zastanowić się nad twórczym rozwiązaniem tej sytuacji.

Pamiętaj, że nie sugeruję, iż nie powinniśmy traktować serio ważnych wydarzeń w swoim życiu. To jedynie ćwiczenie mające zwiększyć elastyczność naszego myślenia.

Zrób to teraz.

JASNE STRONY ŻYCIA

1 Przypomnij sobie jakieś „przykre" wydarzenie z twojego życia.

2 A teraz wymyśl przynajmniej pięć sposobów postrzegania go w pozytywny sposób – im bardziej absurdalne, tym lepiej!

Odbijanie się od przeszkód

> *„Wyjawię wam sekret, który doprowadził mnie do celu: moja siła leży w nieustępliwości".*
>
> LOUIS PASTEUR

Kiedy pytam ludzi, co ich hamuje na drodze do celu, często wspominają podobne porażki i wciąż na nowo wyświetlają sobie w głowach filmy o niepowodzeniu. Nieustanne rozpatrywanie porażek nieuchronnie prowadzi do ich powtórzenia, bo zawsze dzieje się więcej wokół sprawy, na której się skupiamy. Dlatego tak ważne jest, by na nowo zakodować każde złe doświadczenie, które nadal wywołuje w nas stres.

Dobrze jest pamiętać porażki i uczyć się na nich, ale każde przeżycie niosące silny ładunek emocjonalny może działać jako przeszkoda na drodze do sukcesu i spowalniać twoje tempo.

Niedawno w amerykańskich badaniach wykazano, że ludzie, którzy z łatwością odbijają się od przeszkód, nieświadomie postrzegają opóźnienia, błędy, a nawet motywy działania innych osób w świetle najlepszym z możliwych.

Oto wspaniała technika, którą możesz wykorzystać, by wyeliminować negatywny ładunek emocjonalny każdego złego przeżycia i poczuć się jeszcze silniejszą osobą niż wcześniej.

WZMACNIANIE ODPORNOŚCI

Zanim po raz pierwszy wykonasz to ćwiczenie, dokładnie przeczytaj jego opis.

1 Wyobraź sobie, że siedzisz w kinie i patrzysz na maleńki ekran daleko przed tobą.

2 Wyświetl na nim czarno-biały film o błędzie, jaki kiedyś zdarzyło ci się popełnić, lub porażce, jaka cię spotkała. Chodzi o doświadczenia, które twoim zdaniem mogą ci w przyszłości utrudniać osiągnięcie sukcesu.

3 Obejrzyj ten film od końca tak, jakby jego bohaterem był ktoś inny. Odtwarzaj go coraz szybciej, aż uznasz, że wydarzenie to już nie wywołuje u ciebie stresu.

4 A teraz powiększ ekran i obejrzyj film o sobie dotyczący przyszłości. Niech będzie piękny, tętniący kolorami i dźwiękami.

5 Wciel się w postać na ekranie i poczuj jej pewność siebie, motywację i satysfakcję płynącą z sukcesów. Wyobraź sobie, że wszystko układa się zgodnie z twoimi planami.

Jak pokonać uczucie przytłoczenia

Takie jest życie

> *„Bycie pokonanym to często stan przejściowy. Rezygnacja czyni z niego stan stały".*
>
> MARILYN VOS SAVANT

Ćwicząc moje techniki i słuchając dołączonej do książki płyty CD, zaczniesz odnosić coraz więcej sukcesów, lecz z pewnością niekiedy życie będzie cię osaczać. Może ci się nie udać jakaś transakcja biznesowa, pokłócisz się z partnerem albo zajmiesz się tyloma sprawami naraz, że trudno ci będzie nad nimi zapanować.

Kiedy to się zdarzy (a zdarzyć się może każdemu), trzeba sobie wybaczyć. To nie kara za błąd ani za wyświetlanie sobie niewłaściwych filmów w głowie. To po prostu nieunikniona część życia. W tym rozdziale ofiaruję ci najskuteczniejsze narzędzie, jakie znam, które pomoże ci pokonać uczucie przytłoczenia oraz szybko i z łatwością odzyskać stan pewności siebie niezależnie od okoliczności.

Terapia pola myślowego została opracowana przez nowoczesnego amerykańskiego naukowca dr. Rogera Callahana. Niezależne badania naukowe nad jego metodą wykazały, że w większości wypadków pomaga zredukować uczucie emocjonalnego przytłoczenia.

Wiąże się ona z uciskaniem punktów akupunkturowych na ciele. Kod każdego stresującego przeżycia niczym program komputerowy przechowywany jest w naszych mózgach. Myśląc o tym, co cię trapi, i jednocześnie uciskając każdy z punktów w kolejności, którą za chwilę opiszę, szybko obniżysz poziom lęku, stresu czy uczucie przytłoczenia i poradzisz sobie z każdą sytuacją.

Początkowo może ci się to wydawać nieco dziwne, ale naprawdę działa! Za chwilę poproszę cię, o przypomnienie sobie jakiegoś stresującego przeżycia. Jeśli zastosujesz się do moich instrukcji, stres zniknie. To brzmi jak czary, ale w rzeczywistości to prawdziwa nauka.

Musisz w pełni się skoncentrować na parę minut, gdyż ważne jest, by podczas tego procesu wciąż myśleć o wybranym przeżyciu i móc zredukować emocje, jakie się z nim wiążą.

(Zanim wykonasz to ćwiczenie, dokładnie przeczytaj jego opis).

1 Skup się na tym, co cię ostatnio przytłacza. Teraz oceń poziom stresu w skali od 1 do 10, gdzie 1 oznacza poziom najniższy, a 10 najwyższy. To ważne, bo za chwilę sprawdzimy, o ile punktów udało ci się go zmniejszyć. Wykonując opisane niżej czynności, musisz cały czas myśleć o tym, co cię martwi.

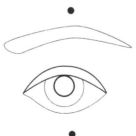

2 Dwoma palcami obu dłoni dziesięć razy uciśnij miejsce tuż nad jedną brwią.

3 Teraz zrób to samo tuż pod jednym okiem.

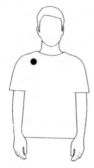

4 Uciśnij miejsce
pod obojczykiem.

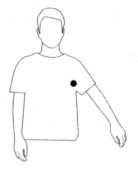

5 Wciąż myśląc o swoim
zmartwieniu, uciśnij
miejsce pod pachą.

6 Teraz uciśnij *karate chop*,
miejsce na zewnętrznej
krawędzi dłoni.

7 Połóż tę dłoń przed sobą i uciśnij miejsce między podstawą
palca serdecznego i małego.
(Uciskaj ten punkt, myśląc
o stresującej sytuacji, gdy będziesz wykonywać czynności
opisane w punktach 8–13).

8 Zamknij oczy, a potem je otwórz.

9 Spójrz na dół w prawo, przed siebie, a potem na dół w lewo.

10 Obróć oczami o 360 stopni zgodnie z ruchem wskazówek zegara, a potem w przeciwną stronę.

11 Wciąż myśląc o stresującej sytuacji i uciskając opisane miejsca, głośno zaśpiewaj kilka pierwszych wersów *Sto lat*.

12 Teraz na głos policz od 1 do 5 (1, 2, 3, 4 i 5).

13 Znowu zaśpiewaj kilka pierwszych wersów *Sto lat*.

14 Powtórz kroki od 2 do 6. Wciąż myśląc o tym, co cię przytłacza, uciśnij miejsce nad brwią, pod okiem, pod obojczykiem, pachą i na *karate chop*.

Zatrzymajmy się i sprawdźmy. Jak oceniasz swój poziom stresu w skali od 1 do 10?

Jeżeli uczucie przytłoczenia nie zniknęło całkowicie, po prostu powtórz całą sekwencję czynności, aż zniknie. Być może trzeba będzie ją powtórzyć dwa albo trzy razy, zanim całkowicie wyeliminujesz to uczucie, choć większość ludzi obniża jego poziom do znośnego już za pierwszym lub drugim razem.

Pamiętaj, jeśli po kilkakrotnym powtórzeniu uczucie to nie zniknęło całkowicie, spytaj swoją podświadomość, co ono oznacza. Terapię tę możesz powtarzać tak często, jak tylko chcesz.

Stwórz wizję obiecującej, pozytywnej przyszłości

Już najwyższy czas

> *„Obchodzi mnie przyszłość,*
> *bo zamierzam tam spędzić*
> *resztę życia".*
>
> CHARLES KETTERING

Po postawieniu sobie WIEL-
KICH celów i podjęciu działania
twoje życie zacznie się poprawiać. Teraz wykorzystamy
moc twojej podświadomości do
wzniesienia się na inny poziom
i automatycznego osiągania sukcesu.

Najpierw musisz zwrócić uwagę na to, że mózg
każdego człowieka inaczej pojmuje czas. Bez zastano-
wienia odnieś się do przyszłości, a potem do przeszłości.

Zwróć uwagę na to, w którą stronę zmierza czas. Czy
przyszłość rozciąga się przed tobą, a przeszłość zostaje
w tyle? Czy też przeszłość jest po lewej stronie,
a przyszłość po prawej?

Nie istnieje dobra ani zła odpowiedź – sposób, w jaki
twój mózg koduje tę informację, jest idealny. Wykonaj
poniższe ćwiczenie, by jeszcze lepiej uświadomić sobie
swój wewnętrzny kierunek czasu.

ODKRYJ SWÓJ KIERUNEK CZASU

Zanim po raz pierwszy wykonasz to ćwiczenie, dokładnie przeczytaj jego opis.

1 Pomyśl o rzeczy, którą robisz codziennie, na przykład o myciu zębów lub jedzeniu śniadania. Kiedy sobie wyobrażasz, że będziesz to robić jutro, czy obraz ten znajduje się przed tobą, po twojej lewej stronie lub prawej? Jak daleko jest od ciebie? Ustal to teraz.

2 Wyobraź sobie, że robisz to samo w przyszłym tygodniu. Czy obraz ten znajduje się dalej po prawej, czy lewej stronie? Jest za tobą czy przed tobą? Bliżej czy dalej? Raz jeszcze pokaż, w którym miejscu widzisz go w swoim umyśle.
   A co z zeszłym tygodniem? Gdzie umiejscawiasz czynność wykonywaną tydzień temu?

3 Wyobraź sobie, że robisz to samo, ale za miesiąc. Czy obraz znajduje się bliżej, czy dalej? Bardziej na prawo czy bardziej na lewo? Przed tobą czy za tobą? Wyżej czy niżej?
   A co z tą samą czynnością, ale wykonywaną miesiąc temu? W którym miejscu swojego umysłu ją widzisz?

4 A teraz wyobraź sobie, że robisz to samo, ale za pół roku. Gdzie znajduje się ten obraz – bliżej czy dalej? Po lewej czy prawej stronie? Wyżej czy niżej?

A co z tą czynnością, ale wykonywaną pół roku temu? Postaraj się ją umiejscowić.

5 Wyobraź sobie, że wszystkie te obrazy łączy linia jak w gigantycznej łamigłówce „połącz kropki". To twój kierunek czasu – sposób, w jaki twoja podświadomość przedstawia czas.

Programowanie umysłu na automatyczny sukces

„Jeśli czegoś naprawdę bardzo pragniesz, możesz wymyślić, jak to osiągnąć".

CHER

Jeśli twoja przyszłość rysuje się dość obiecująco, robisz wszystko, co w twojej mocy, by jak najszybciej ją urzeczywistnić. Wspaniałe jest to, że codziennie zbliżasz się krok do tej przyszłości.

Następne ćwiczenie pomoże ci zaprogramować podświadomość na obiecującą przyszłość. W połączeniu z płytą CD ćwiczenie to doda ci sił, by zdążać do celu.

Kiedy niedawno wykonałem ze swoim klientem to ćwiczenie, wyobraził sobie, że siedzi w barze z rodziną i przyjaciółmi. Świętowali jego sukcesy zawodowe. Wszyscy czuli się niezwykle bezpieczni pod względem materialnym, już nigdy nie musieli się martwić o pieniądze. Planowali luksusowe wakacje na południu Francji, mnóstwo rozrywek, picie szampana i kąpiele słoneczne. Mojemu klientowi w tym obrazie najbardziej podobało się uczucie spełnienia i zadowolenia z samego siebie – miał wrażenie, że tak w sensie duchowym, jak i materialnym wreszcie dobrze poczuł się we własnej skórze.

STWÓRZ SWOJĄ PRZYSZŁOŚĆ JUŻ TERAZ

Zanim po raz pierwszy wykonasz to ćwiczenie, dokładnie przeczytaj jego opis.

1 Wyobraź sobie, że minął rok. Właśnie przeżywasz najpiękniejsze chwile swojego życia.

Co się zmieniło w twoich relacjach z ludźmi, karierze zawodowej, zdrowiu, stanie finansów, życiu duchowym?
Które ze swoich WIELKICH celów udało ci się osiągnąć?
Do których udało ci się zbliżyć?
Jakie nowe sposoby myślenia i zachowania są teraz obecne w twoim życiu?
Kim się stajesz?

2 A teraz wyobraź sobie idealną scenę, w której dzieje się wszystko to, czego sobie życzysz w przyszłości. Pamiętaj, by w tej scenie sprawiać wrażenie osoby szczęśliwej, optymistycznej. Scena ta może być realistyczna lub symboliczna.

Wyobraź sobie tę idealną scenę.
Gdzie jesteś? Z kim?
Jakie sukcesy masz na koncie?
Co najbardziej ci się podoba w tej scenie?

3 Umieść ten obraz w przyszłości za rok od chwili obecnej. Niech będzie wielki, o żywych kolorach, jasny. Robisz to dobrze, jeśli wyobrażanie sobie tej sceny wywołuje u ciebie miłe doznania.

4 Teraz musisz wypełnić przestrzeń między „wtedy" a „teraz".

Zmniejsz nieco obraz i umieść go w przyszłości za parę miesięcy przed wielkim obrazem.

Zmniejsz go jeszcze bardziej i umieść go parę miesięcy przed nowo stworzonym obrazem.

Ponownie go zmniejsz i umieść go w przyszłości parę miesięcy przed poprzednim obrazem.

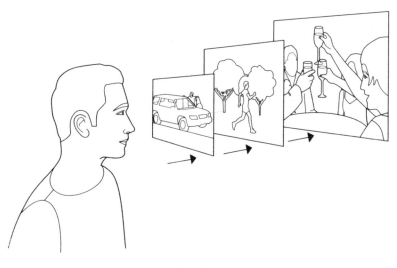

Masz teraz ciąg obrazów łączących teraźniejszość z pozytywną, obiecującą przyszłością. Obrazy te powinny stawać się coraz większe i coraz bardziej wypełnione wspaniałymi wydarzeniami.

5 Spójrz na nie i wpuść swoją podświadomość na drogę do sukcesu, który chcesz osiągnąć w ciągu najbliższego roku.

6 Teraz wyjdź ze swojego ciała i wstąp w każdy z tych obrazów. Przez parę chwil żyj w każdym z nich, zanim przeniesiesz się do następnego.

7 Kiedy już znajdziesz się w tym, który przedstawia scenę idealną, dobrze się wczuj w jej atmosferę. Jak to jest – mieć wszystko, czego się pragnie?

8 Wreszcie wróć do teraźniejszości i raz jeszcze spójrz przed siebie w przyszłość. Teraz już masz pewność, że posiadasz mapę, której twoja podświadomość może używać, by poprowadzić cię ku upragnionej przyszłości!

Plan działania na każdy dzień

Każdy to robi

Kilka lat temu rozmawiałem o psychologii sportu ze zwycięzcą dekatlonu Daleyem Thompsonem. Spytałem, czy sam ją kiedykolwiek stosował. Odparł, że nie wierzy w takie rzeczy. Spytałem więc, czy przed biegiem myśli o nim. Spojrzał na mnie i odparł z silnym przekonaniem: „Myślę o każdym kroku. Doskonale wiem, co zrobię, i trzymam się tego!".

To samo dotyczy każdego wybitnego sportowca czy innego człowieka sukcesu, z którym pracowałem. Świadomie bądź nie do mistrzostwa opanowują tę technikę, aż stają się tym, co praktykują.

Tyle wystarczy, by przenieść swoje życie na wyższy poziom. Kiedy tylko rozpoczniesz program rozwoju samego siebie, jakość twojego życia zacznie się poprawiać.

W latach trzydziestych XX wieku przeprowadzono słynne badania mające określić czynniki wpływające na wydajność w pracy. Zespół socjologów pod przewodnictwem harvardzkiego profesora Eltona Mayo oceniał w fabrykach między innymi wpływ lepszego oświetlenia na wydajność pracy przy taśmie montażowej. Jak to w takich eksperymentach, obserwowano trzy grupy.

Pierwszej zapewniono lepsze oświetlenie niż zazwyczaj, druga miała gorsze, a trzecia grupa kontrolna pracowała w zwykłych warunkach. Wyniki badania oszołomiły obserwatorów.

Jak się tego spodziewano, grupa pracująca przy lepszym oświetleniu miała nieco lepszą wydajność i lepsze samopoczucie. Jednakże oba te czynniki okazały się niemal identyczne w dwóch pozostałych grupach.

Po dalszych eksperymentach profesor Mayo i jego współpracownicy doszli do wniosku, że najważniejszym czynnikiem pozytywnie wpływającym na wydajność w pracy i dobre samopoczucie pracowników jest pewność, że ktoś zwraca uwagę na ich wysiłek.

To, co da się zmierzyć, da się zrobić

> „*Sukces to suma niewielkich wysiłków powtarzanych codziennie*".
>
> ROBERT COLLIER

Według Amerykańskiego Towarzystwa Treningu i Rozwoju prawdopodobieństwo odniesienia sukcesu wzrasta z czterdziestu aż do dziewięćdziesięciu pięciu procent, jeśli poprosisz kogoś o opinię na swój temat!

Jeśli codziennie poświęcisz dodatkową minutę na to, by choć odrobinę przybliżyć się do swojego celu, wydatnie zwiększysz prawdopodobieństwo odniesienia sukcesu.

Obok przedstawiam tabelkę, w której możesz odnotowywać swoje postępy. Zastanawiasz się, dlaczego zrobiłem miejsce tylko dla pięciu celów? Dlatego, że jeśli codziennie znajdujesz czas na przybliżanie się do większej liczby celów, to znak, że z pewnością nie są one zbyt wielkie!

Powiel na ksero tabelkę i wpisz do niej swoje WIELKIE cele. Codziennie stawiaj znak we właściwej rubryce, jeśli udało ci się wykonać choć jeden krok zbliżający cię do sukcesu.

Może ci się to wydawać zbyt proste, by mogło odnieść skutek, ale chciałbym z całą mocą podkreślić wagę siły rozpędu, jakiego nabierają ludzie wykonujący to ćwiczenie. Już po paru tygodniach mogą zacząć się pojawiać pierwsze pozytywne zmiany!

WIELKI cel	Pon.	Wt.	Śr.	Czw.	Pt.	Sob.	Niedz.
1							
2							
3							
4							
5							

CZĘŚĆ TRZECIA

PEWNOŚĆ SIEBIE W PRAWDZIWYM ŚWIECIE

Wystąpienia publiczne

Udane wystąpienie publiczne

> *„Zadaj sobie pytanie: gdyby mnie wpuszczono na scenę tylko na minutę, co bym powiedział, by przekazać to, co najważniejsze?".*
>
> JEFF DEWAR

Lęk przed publicznymi wystąpieniami to obecnie najpowszechniejsza fobia w zachodniej kulturze. Zazwyczaj powstaje w szkole, gdy nauczyciel każe nam przeczytać coś przed całą klasą i wytyka nam błędy, zamiast pochwalić. Śmiech innych dzieci i wytykanie palcami wprawiało nas w negatywny stan emocjonalny i sprawiło, że skojarzenie lęku, wstydu i skrępowania z wystąpieniami publicznymi pozostało w nas aż do teraz, choć nie musi nas przed nimi powstrzymywać.

Wystarczy, że zrobisz trzy rzeczy, by nawet przed największą publicznością czuć się swobodnie i spokojnie:

1 Zwiększ swoje poczucie wartości.

2 Wiedz, o czym mówisz.

3 Mów z zaangażowaniem.

1. Zwiększ swoje poczucie wartości

Wiele lat temu jedna z najbardziej znanych brytyjskich aktorek umówiła się ze mną na wizytę. Kiedy mi powiedziała, że przed każdym występem dręczy ją trema, byłem zdumiony.

„Zaraz, przecież jest pani jedną z najlepszych aktorek – powiedziałem – Jak to możliwe, że miewa pani tremę?".

„Kiedy osiąga się tę pozycję co ja, presja jest jeszcze większa" – odparła.

Wtedy uświadomiłem sobie, jak niewiele wspólnego ma pewność siebie z doświadczeniem, a jak wiele zależy tu od sposobu, w jaki wykorzystujemy swój umysł. Ktoś inny mógłby wykorzystać swe ogromne doświadczenie i sukcesy, które ma na koncie, by osiągnąć stan spokoju i swobody podczas wystąpień publicznych. Ona wykorzystała je do tego, by jeszcze bardziej potęgować swój strach.

Chcąc jej pomóc, poprosiłem, by wyobraziła sobie, że ma jednodniowy urlop od tremy. Na jeden dzień zabiorę od niej lęk. Potem spytałem, co miałbym zrobić, by poczuć na scenie taką tremę, jaką ona zawsze przeżywała.

Jej strategia była następująca:

1 Po wejściu na scenę wyobrażała sobie, że część widzów to krytycy cały czas potępiający w myślach jej występ. „W tej kwestii nie wypadła zbyt przekonująco" itp.

2 W reakcji na negatywny dialog wewnętrzny jej ciało się napinało i popełniała jakiś drobny błąd.

3 Wtedy wyobrażała sobie, że krytycy myślą coś jeszcze gorszego, na przykład: „Najlepsze czasy ma już za sobą". Im dłużej wyobrażała sobie negatywną reakcję krytyków, tym więcej prawdziwych pomyłek popełniała.

Nie miała pojęcia, co naprawdę mówią o niej krytycy i czy w ogóle są na widowni, lecz wyobrażając sobie ich negatywną opinię, tworzyła samospełniającą się przepowiednię.

Ponieważ ten dialog wewnętrzny miał potężny wpływ na jakość jej występów, doszedłem do wniosku, że najlepiej go wykorzystać w pozytywnym celu. Skoro umiała sobie wyobrazić, że ktoś myśli o niej źle, to potrafiłaby wyobrazić sobie i dobre opinie.

Poprosiłem, by wyobraziła sobie, że wchodzi na scenę i słyszy pozytywne opinie krytyków, na przykład: „Co za doskonała, doświadczona aktorka! Świetny występ!". Jeżeli się pomyliła, miała sobie wyobrazić, że mówią: „Fantastycznie z tego wybrnęła – wielkie brawa!".

Powtarzaliśmy to wielokrotnie, aż program ten na trwałe zakodował się w jej umyśle. Kiedy następnym razem wyszła na scenę, pozytywny dialog wewnętrzny rozpoczął się w niej automatycznie.

A kiedy krytycy rzeczywiście obejrzeli jej występ, napisali bardzo przychylne recenzje.

Oto ćwiczenie, które pomoże ci zwiększyć swoje poczucie wartości podczas wystąpień publicznych.

GŁOS PEWNOŚCI SIEBIE

Zanim po raz pierwszy wykonasz to ćwiczenie, dokładnie przeczytaj jego opis.

1 Wyobraź sobie, jak brzmiałby twój głos, gdyby już teraz cechowała cię ogromna pewność siebie. Możesz też sobie wyobrazić głos jakiejś innej bardzo pewnej siebie i energicznej osoby, której lubisz słuchać.

2 A teraz spróbuj odezwać się tym głosem.

3 Wypowiadaj po jednym zdaniu na raz. Wyobraź sobie, że głos w twojej głowie mówi na przykład: „Tak brzmię, kiedy jestem pewny siebie". Następnie wypowiedz to zdanie na głos, wkładając w nie dużo energii i przekonania.

Początkowo może ci się to wydawać dziwne, ale wkrótce poczujesz się bardzo swobodnie, przemawiając swoim nowym, pewnym siebie głosem.

2. Wiedz, o czym mówisz

Z pewnością można wygłosić wykład, nie bardzo wiedząc, o czym się mówi, ja jednak tego nie polecam. Odrobienie pracy domowej i pewność tego, o czym się mówi, wywołuje aurę kompetencji.

Ale pewność ta różni się od czytania gotowego tekstu. Prawdziwa korzyść jest następująca:

**Kiedy wiesz, o czym mówisz,
nie musisz wiedzieć, co masz powiedzieć za chwilę.**

Wiele lat temu przeżyłem najważniejsze doświadczenie, które potwierdza tę tezę. Kiedy razem z dr. Richardem Bandlerem, człowiekiem, który stworzył tę dziedzinę, zacząłem prowadzić treningi NLP (neurolingwistyczne), dokładnie przygotowywałem scenariusz w głowie, planując wszystko, co powiem.

Pewnego dnia, tuż przed moim wyjściem na scenę, Richard zaproponował, żebym zmienił technikę. Chyba zrobiłem zatroskaną minę, bo roześmiał się i spytał, od jak dawna zajmuję się hipnozą i NLP.

Odparłem, że od prawie dziesięciu lat, a wtedy on roześmiał się ponownie.

„Masz całą potrzebną do tego wiedzę – powiedział. – Musisz po prostu wprawić się w odpowiedni stan, a słowa i pomysły same się pojawią. Nie przejmowałbyś się, gdybyś rozmawiał z przyjaciółmi, prawda?".

Potem poprosił, bym przypomniał sobie, kiedy zachowałem się tak, jak mi teraz doradził. Gdy zacząłem się rozluźniać, poprosił, bym zabrał to uczucie ze sobą na scenę.

Co prawda wciąż jeszcze nie czułem się całkowicie gotowy, ale kiedy zagrała muzyka na wstęp, po raz pierwszy wyszedłem na scenę, nie mając przygotowanego scenariusza. Nie tylko wygłosiłem jeden ze swoich najlepszych wykładów, ale jeszcze nigdy wcześniej nie czułem się aż tak rozluźniony przed dużą grupą osób. Od tamtej pory wszystko szło jak z płatka!

3. Mów z zaangażowaniem

Jeśli musimy, możemy mówić o wszystkim, kiedy jednak ja występuję publicznie, staram się nawiązać emocjonalną więź z tematem swojego przemówienia.

Znaczenie takiego podejścia stało się dla mnie jasne, kiedy występowałem przed grupą osób na uroczystości „Duma Brytanii". Nagradzano na niej osoby, które dokonały aktu wyjątkowego bohaterstwa lub w szczególny sposób pomogły społeczeństwu. Fascynujące było to, że chociaż wiele z nich nigdy przedtem nie występowało publicznie, teraz potrafiło porwać za sobą publiczność – właśnie dlatego, że z wielką pasją podchodziły do tego, co zrobiły.

By wykrzesać z siebie zaangażowanie przed wystąpieniem publicznym, zadaję sobie dwa proste pytania:

Jaka jest istota tego,
co chcę przekazać słuchaczom?

Jakie uczucia chcę
w nich wywołać?

Oczywiście pasja jest również stanem uczuciowym i jak każdy stan możesz go w sobie wywołać w dowolnej chwili.

IDEALNY STAN NA WYSTĄPIENIA PUBLICZNE

Zanim po raz pierwszy wykonasz to ćwiczenie, dokładnie przeczytaj jego opis.

1 Pomyśl o wystąpieniu, które cię czeka w ciągu kilku najbliższych tygodni. Jeśli nie masz takowego w planach, zastanów się nad sytuacją, w której chcesz wypaść jak najlepiej.

2 Jak się poczujesz podczas tego wystąpienia, jeśli będzie zależało to tylko od ciebie?

Przykład:
Pewny siebie, pełen pasji i dowcipny.

3 Wyobraź sobie okrąg na podłodze – w dowolnym kolorze. Wypełnij go uczuciami, które chcesz przeżywać podczas swojego wystąpienia. Możesz w tym celu przypomnieć sobie podobną sytuację z przeszłości lub przybrać taką postawę ciała, jaką masz podczas przeżywania określonych emocji.

Przykład:
Wypełniam okrąg pewnością siebie, stając w pozycji, która o niej świadczy i przemawiając do siebie śmiałym tonem. Dodaję pasję, myśląc o sprawie, w którą się zaangażowałem. Robię to, dopóki nie poczuję tego w swoim ciele. Przypominam sobie, kiedy ostatnio śmiałem się i żartowałem z przyjaciółmi, i dodaję do okręgu poczucie humoru.

4 Wejdź do okręgu i pozwól, by zawarte w nim uczucia rozlały się po twoim ciele. Przeżywając je, wyobraź sobie swoje najbliższe wystąpienie. Kiedy uczucia te zaczną blaknąć, wyjdź z kręgu i ponownie naładuj go emocjami, po czym wstąp do niego raz jeszcze.

5 Powtarzaj kroki 3 i 4, dopóki nie zaczniesz automatycznie czuć się tak, jak tego pragniesz – czuć się tak, wyobrażając sobie daną sytuację oraz przeżywając ją w rzeczywistości!

Podobnie jak to jest z każdym innym ćwiczeniem opisanym w tej książce, stajesz się tym, co praktykujesz – a im częściej ćwiczysz stan rozluźnienia i pewności siebie, tym silniejsze staną się te uczucia w rzeczywistości!

ROZDZIAŁ DWUDZIESTY

Sukcesy zawodowe

Zapach desperacji

Czy zdarzyło ci się mieć do czynienia z człowiekiem, który pragnął czegoś tak bardzo, że aż wydawało ci się to niepokojące? Czy jest to akwizytor chcący zarobić, czy osoba szukająca partnera, w nadmiernej desperacji jest coś odpychającego nawet dla najbardziej wielkodusznych osób.

Coś takiego nieraz określa się mianem mdlącego zapachu desperacji, co stanowi przeciwieństwo słodkiego zapachu sukcesu. Może to tylko metafora, a może w naszym ciele rzeczywiście zachodzą takie procesy biochemiczne, faktem jest jednak, że jeżeli masz postawę roszczeniową, ludzie niezbyt chętnie pozytywnie reagują na twoje prośby.

Kluczem do porzucenia desperacji jest zrozumienie następującej rzeczy:

Desperacja to stan i jak każdy stan można ją stworzyć lub zlikwidować dzięki obrazom, dźwiękom i dialogowi wewnętrznemu.

Zrób to teraz.

JAK POZBYĆ SIĘ DESPERACJI

Zanim po raz pierwszy wykonasz to ćwiczenie, dokładnie przeczytaj jego opis.

1 Zastanów się, czego desperacko potrzebujesz. Mogą to być pieniądze, udana transakcja albo związek uczuciowy.

2 Zwróć uwagę na obrazy, dźwięki i dialog wewnętrzny związane z tą sytuacją. Jeśli masz z tym problemy, wymyśl te elementy!

3 Zacznij rządzić swoim światem wewnętrznym! Odepchnij obrazy i spraw, by zniknęły. Sciszaj dźwięki i dialog wewnętrzny, aż poczujesz relatywny spokój w związku z tym, co wywołuje u ciebie desperację.

4 A teraz stwórz kolaż przedstawiający wszystko, co dobre w twoim życiu. Wyobraź sobie zdjęcia osób, które lubisz, odniesione przez siebie sukcesy i wszystko, z czego się cieszysz. Powtarzaj komplementy, jakie kiedykolwiek ci prawiono. Wypełnij umysł pozytywnymi słowami, dźwiękami i obrazami.

5 W końcu wyobraź sobie, że w dolnej połowie kolażu pojawia się maleńkie puste miejsce. Wypełnij je symbolami tego, czego rozpaczliwie potrzebujesz.

6 W przyszłości wystarczy, że pomyślisz o tych rzeczach w kontekście tego, co sprawia ci satysfakcję.

Podobnie jak z każdym innym ćwiczeniem opisanym w tej książce wraz z każdym powtórzeniem coraz łatwiej będziecie ci je wykonywać. Im bardziej będziesz się skupiać na dużym obrazie swojego życia, tym mniej pilne czy ważne staną się rzeczy, które wydawały ci się tak rozpaczliwie potrzebne.

Przywództwo

Kiedy Steve Jobs i Steve Wozniak konstruowali prototyp komputera Apple, próbowali zainteresować swoim projektem Atari i Hewlett-Packarda. Proponowali nawet, że przekażą im wszystkie prawa autorskie w zamian za sfinansowanie projektu i sprzedaż ich komputerów. Nie tylko spotkali się z reakcją odmowną, ale w Hewlett-Packardzie usłyszeli: „Nie potrzebujemy was – jeszcze nie skończyliście college'u!".

> „Dziadek powiedział mi kiedyś, że istnieją dwa typy ludzi: ci, którzy pracują, i ci, którzy biorą kredyty. Doradził mi, żebym starała się trafić do tej pierwszej grupy: tam istnieje mniejsza konkurencja".
>
> INDIRA GANDHI

Fed Ex, CNN i „Post-it" przeżyły podobną porażkę – głównie dlatego, że postępowały sprzecznie z intuicją. Większość ludzi na świecie to nie przywódcy ani innowatorzy – nie ma więc sensu przedstawiać im pomysłów, które nie mieszczą się w ramach ich pojmowania.

Jako przywódca musisz spodziewać się oporu, a nawet odrzucenia, bo taka jest cena innowacji. Jeśli więc zamierzasz zostać przywódcą, musisz mieć chęć przewodzenia.

W należącej już do klasyki książce dr. Roberta Cialdiniego *Wywieranie wpływu na ludzi. Teoria i praktyka* autor opisuje eksperyment przeprowadzony na ulicach Chicago.

W niebezpiecznej dzielnicy zostawiono nowiutki samochód na noc. Następnego dnia rano, kiedy badacze wrócili, samochód stał tam nadal zupełnie nietknięty. Parę tygodni później podobny samochód zostawiono w tej samej okolicy – ale tym razem z wybitą szybą w oknie. Rano okazało się, że ukradziono wszystkie opony, a samochód został doszczętnie zdemolowany.

Co się stało? Dlaczego jedno auto zostawiono w spokoju, a inne zdemolowano?

Odpowiedzią jest zasada wpływu, którą Cialdini określa mianem dowodu społecznego – kiedy ludzie nie wiedzą, co zrobić albo jak się zachować, korzystają ze wzoru postępowania kogoś ze swojej grupy rówieśniczej. Gdy tylko ta osoba ustanowi akceptowalny wzorzec zachowania, pozostali idą w jej ślady.

Uświadomienie sobie potęgi dowodu społecznego pozwala nam zrozumieć, że niemal w każdej sytuacji możemy zająć pozycję przywódcy. Ogromna część naszego wpływu na otoczenie i zespół, w którym pracujemy, sprowadza się do jednego – wprowadzenia zachowania, do którego chcemy zachęcić innych.

Czy chcesz, by twoi współpracownicy częściej eksperymentowali, nawet gdyby mieli przy tym popełniać błędy?

Zacznij eksperymentować, popełniając błędy i nie przejmując się tym nadmiernie.

Chcesz, by klienci mówili ci prawdę o swoich odczuciach?

Zacznij sam to robić – nawet jeśli mówiąc prawdę o sobie, nie wyjdziesz na idealnego menedżera, sprzedawcę czy trenera.

Istnieje wiele przykładów błędów popełnianych przez przywódców, których umysły pozostały zamknięte na nowe możliwości.

Na początku XIX wieku ówczesne autorytety naukowe próbowały uniemożliwić produkcję silników parowych, twierdząc, że człowiek, który przekroczy niewiarygodną prędkość 45 kilometrów na godzinę, udusi się i zostanie zmiażdżony przez siłę ciążenia.

W 1899 roku Charles H. Duell, członek komisji do spraw patentów, polecił zamknięcie urzędu patentowego, gdyż „wszystko, co miało być wynalezione, już zostało wynalezione".

W 1946 roku Daryl Zanuck Jr., prezes 20th Century Fox, powiedział: „Telewizja nie utrzyma się na rynku nawet przez pół roku. Ludzie szybko znudzi gapienie się co noc na drewniane pudło".

Jim Denny ze stacji radiowej Grand Ole Opry odrzucił Elvisa Presleya po jego pierwszym występie, tak uzasadniając swoją decyzję: „Synu, ty do niczego nie dojdziesz. Powinieneś znowu zająć się prowadzeniem ciężarówek".

Wytwórnia płytowa Decca odrzuciła Beatlesów, mówiąc: „Nie podoba nam się ich brzmienie. Zespoły gitarowe wychodzą z mody".

Thomas Watson Jr., niegdysiejszy prezes IBM, przewidział, że na światowym rynku komputerów znajdzie się miejsce dla zaledwie pięciu takich urządzeń.

Nawet Bill Gates nie uniknął błędu, twierdząc w 1981 roku, że pamięć 640 K powinna każdemu wystarczyć.

Najprostsze umiejętności potrzebne do osiągnięcia sukcesu

Wszystkie narzędzia, o których pisałem do tej pory, sprowadzają się do czterech podstawowych umiejętności:

1 Wyobrażaj sobie, że jesteś osobą obdarzoną dużą pewnością siebie.
2 Przemawiaj do siebie pewnym siebie, pozytywnym tonem głosu.
3 Poruszaj się śmiało.
4 Podejmuj działanie, zanim osiągniesz całkowitą gotowość.

W biznesie istnieje piąta, równie ważna, jeśli nie ważniejsza, umiejętność:

Bądź sobą!

Wielu biznesmenów dosłownie staje na głowie, by zachować panowanie nad sytuacją.

Gdyby zrozumieli tę podstawową zasadę, ich życie stałoby się o wiele łatwiejsze, a ich klienci byliby znacznie bardziej zadowoleni.

Kiedy jesteś sobą, niektórzy będą chcieli tego, co masz, a inni nie. Ale, jak mówi Jack Canfield, twórca przebojowej serii książek *Balsam dla duszy*: „Jedni chcą, inni nie... i co z tego, zawsze ktoś czeka".

Ktoś dla każdego

Mam do ciebie pewne pytanie. Jeśli chcesz, możesz je powiązać z produktem lub usługą, które sprzedajesz. Brzmi ono następująco:

Jak myślisz, czy są ludzie, którzy czekają na to, co masz im do zaoferowania?

Jeśli twoja odpowiedź brzmi przecząco, musisz popracować nad ulepszeniem swojego towaru, zwłaszcza jeżeli jesteś nim ty we własnej osobie. Jeśli jednak odpowiedź brzmi twierdząco, mam dla ciebie kolejne pytanie:

Gdzie oni są?

Jeszcze lepsze pytanie brzmi następująco:

W jaki sposób możesz ich jak najszybciej odnaleźć?

Odpowiedź jest prosta: jak najszybciej dowiedz się, kim NIE są.

Oto ćwiczenie opracowane przez mojego szkoleniowca Michaela Neilla.

ZNAJDŹ SWOICH IDEALNYCH KLIENTÓW

Zanim po raz pierwszy wykonasz to ćwiczenie, dokładnie przeczytaj jego opis.

1 Sporządź listę dwudziestu osób lub firm, które mogłyby być zainteresowane tym, co masz do zaoferowania.

2 Celem gry jest wyeliminowanie z listy osób, które NIE chcą z tobą współpracować lub kupić twoich produktów. Jak najszybciej skontaktuj się z każdą osobą/firmą z listy i zdobądź odpowiedź twierdzącą lub przeczącą – nie przyjmuj „być może"! Pamiętaj, że celem gry jest jak najszybsze zredukowanie listy do zera. Czerp z tego przyjemność!

3 Pod koniec dnia oceń siebie na podstawie liczby pozycji, które zostały na liście.

Punktacja:

18–20
Jeszcze wiele pracy przed tobą. Zaryzykuj i zacznij wreszcie!

13–17

To średnia, jaką osiąga większość ludzi. Czy wolni i systematyczni wygrają wyścig? Jeśli tak uważasz, możesz sobie pogratulować! Jeśli nie, wykrzesz z siebie więcej pewności siebie i wracaj do działania!

8–12

Jesteś na dobrej drodze do sukcesu. (Jeśli przypadkowo natrafisz na osobę, która chce kupować twoje produkty, możesz ją też wykreślić z listy).

4–7

Prawdziwe mistrzostwo! Moje gratulacje!

0–3

UWAGA! UWAGA! ALARM!
SUKCES BLISKI! ALARM!

Codziennie podliczaj punkty. Jeśli przez pięć dni z rzędu osiągniesz wynik zerowy, to znaczy, że udało ci się zwiększyć prawdopodobieństwo sukcesu swojego przedsięwzięcia i masz o wiele więcej pewności siebie niż do tej pory.

ROZDZIAŁ DWUDZIESTY PIERWSZY

Randki i seks

Społeczna pewność siebie

> „W rozmowie bardziej liczy się pewność siebie niż inteligencja".
>
> FRANÇOIS DE LA ROCHEFOUCAULD

Ludzie pragną czuć większą pewność siebie przede wszystkim w kontaktach towarzyskich – zwłaszcza z osobami, które pociągają je seksualnie. W tym rozdziale podzielę się z wami swoimi najważniejszymi spostrzeżeniami dotyczącymi nauki ogromnej pewności siebie w towarzystwie, a także technikami, które pomogą wam zdobyć o wiele większą swobodę w zachowaniu.

Simon Cowell, jeden z najbardziej pewnych siebie ludzi, jakich znam, powiedział mi, że ojciec przekazał mu sekret powodzenia w kontaktach towarzyskich: wystarczy po prostu wyobrazić sobie, że każdy ma nad głową tabliczkę z dużym napisem: „Spraw, bym poczuł się ważny".

Najważniejsza rzecz do zapamiętania jest taka: by zyskać pewność siebie w towarzystwie, należy skierować większą część uwagi poza siebie, na osobę czy osoby, z którymi przebywasz.

W tym celu musisz poczuć się na tyle dobrze we własnej skórze, by nie musieć nieustannie kontrolować tego, co się z tobą dzieje.

Od nieśmiałości do pewności siebie

Komik Buddy Hackett mawiał kiedyś, że tajemnicą udanego występu jest umiejętność wyłączenia autocenzury. Autocenzura to funkcja umysłu, która wciąż kontroluje twoje zachowanie. Kiedy jego działała na wysokich obrotach, więcej uwagi zwracał na obrazy w swoim umyśle i dialog wewnętrzny niż na to, co się działo wokół niego. Podczas szczególnie udanego występu jego autocenzura była tak niewielka, że odczuwał wszystkie pozytywne emocje, ale najbardziej skupiał się na otaczających go ludziach. Im mniejsza autocenzura, tym lepszy występ.

Zdolność do odnoszenia sukcesów w życiu towarzyskim, uczuciowym, a nawet seksualnym sprowadza się w dużej mierze do umiejętności zmniejszenia autocenzury i poświęcenia całej uwagi osobie, z którą przebywasz.

Aby obudzić swoją naturalną pewność siebie, zrób tylko dwie rzeczy:

1 Popraw swój wizerunek i moc dialogu wewnętrznego.

2 Wpraw się w odpowiedni stan.

1. Popraw swój wizerunek i moc dialogu wewnętrznego

Kiedyś przyjaciel ciągle opowiadał mi o kobiecie, która bardzo mu się podoba, lecz wydaje się nie do zdobycia. Bardzo chciał się z nią umówić, ale za każdym razem, gdy przebywał w jej towarzystwie, zapominał języka w gębie.

Zauważyłem, że kiedy o niej mówi, gestykuluje przed twarzą, jakby próbował nakreślić jej portret.

Kiedy go spytałem, jak ten portret wygląda, odparł, że nic takiego przed sobą nie widzi. Poprosiłem, by powtórzył te gesty i uważnie przyjrzał się temu, co sobie wyobraża. Wtedy ujrzał duży, wyraźny, kolorowy wizerunek kobiety, która górowała w jego umyśle niczym bogini. Usłyszał też głos wewnętrzny: „O rany, to najpiękniejsza kobieta na świecie – dlaczego miałaby się umawiać z kimś takim jak ja?".

Nic dziwnego, że wstydził się z nią rozmawiać!

Poprosiłem, by zmniejszał ten obraz, aż zmieści mu się na dłoni – tak jakby zmniejszał zdjęcie ogromnego formatu do fotografii wielkości portfela. Nagle jego postawa całkowicie się zmieniła. Był zaskoczony, ale wyglądał na o wiele pewniejszego siebie.

„Dziwne – powiedział. – Już się jej nie boję".

Wtedy poprosiłem, by spojrzał na nowy obraz w swoim umyśle i z wielką pewnością siebie powiedział: „To możliwe, że się ze mną umówi". Początkowo uznał, że to niedorzeczne, ale w końcu zrobił, o co go prosiłem. Powiedziałem, by powtórzył to parę razy, aż uśmiech na jego twarzy zdradził mi, że stan jego uczuć całkowicie się zmienił.

Podczas następnego spotkania z ową kobietą czuł się o wiele swobodniej, choć musiał zajrzeć w swój umysł i zmniejszać obraz, dopóki nie stało się to automatyczne. Nie czuł jeszcze całkowitego komfortu, ale wyluzował się na tyle, by machnąć ręką i zaprosić kobietę na randkę. (A ona się zgodziła!).

2. Wpraw się w odpowiedni stan

Kiedy już poczujesz mniejsze onieśmielenie osobą, z którą chcesz spędzać więcej czasu, pora na stworzenie nowych, szalenie pozytywnych skojarzeń.

Kiedy ćwiczę tę technikę z klientem, proszę, by zastanowił się nad osobami, wobec których już czuje się swobodnie. Gdy klient zaczyna odczuwać te emocje, tworzymy skojarzenie między nimi a osobą, w której towarzystwie chciałby zachowywać się z większą pewnością siebie.

Jeśli chodzi o osobę, która seksualnie pociąga mojego klienta, proszę, by wyobraził sobie wzór zachowania – może to być ktoś z jego znajomych, lecz zazwyczaj ludzie wybierają jakąś gwiazdę kina – na przykład Catherine Zetę-Jones, Seana Connery'ego, Cameron Diaz czy George'a Clooneya.

Na koniec składamy wszystkie elementy w całość i wyobrażamy sobie daną sytuację towarzyską, ale z nowymi, podrasowanymi pozytywnymi emocjami.

Zróbmy to teraz.

GOTOWOŚĆ DO ROMANSU CZĘŚĆ PIERWSZA

Zanim po raz pierwszy wykonasz to ćwiczenie, dokładnie przeczytaj jego opis.

1 Z kim czujesz się najbardziej swobodnie? Czy to grupa przyjaciół, a może członkowie twojej rodziny?

Przypomnij sobie wspólnie spędzony czas, kiedy towarzyszyło ci wyjątkowo dobre samopoczucie. Dopuść do siebie te emocje i wykorzystaj je do stworzenia włącznika pewności siebie w kontekście uczuciowym. Złącz kciuk i palec środkowy obu dłoni, przeżywając te uczucia i tworząc skojarzenie.

2 Co jeszcze chcesz czuć?

Jeden z moich klientów wymieniał takie stany jak rozluźnienie, brak lęku przed byciem ocenianym i umiejętność bycia sobą.

3 Wyobraź sobie osobę, która stanowi dla ciebie przykład pewności siebie w życiu towarzyskim i seksualnym. Wyobraź sobie, że śmiało rozmawiasz z osobą lub osobami, wobec których chcesz czuć się swobodniej.

Kiedy już odpowiednio się skupisz, wciel się w swój wzór – patrz jego oczami, słuchaj jego uszami, poczuj, jak to jest być tak pewną siebie osobą w życiu towarzyskim i seksualnym.

Raz jeszcze złącz kciuk i palec środkowy obu dłoni, dodając te uczucia do włącznika pewności siebie w kontekście uczuciowym. Powtarzaj to, dopóki nie nabierzesz takiej samej pewności siebie, jaką odznacza się twój wzór.

Kiedy już udało ci się stworzyć włącznik pewności siebie w kontekście uczuciowym, czas wykorzystać go w działaniu. Możesz użyć go jako narzędzia doraźnego, by poczuć większą pewność siebie i swobodę w towarzystwie tej osoby, lecz jeszcze lepiej na stałe umieścić go w swoim umyśle.

Za każdym razem, gdy będziesz wyświetlać w wyobraźni ten film, programujesz się na osiągnięcie sukcesu. W obecności tej osoby rozluźnisz się i obudzisz w sobie naturalną pewność siebie, która poprowadzi cię dalej!

GOTOWOŚĆ DO ROMANSU CZĘŚĆ DRUGA

Zanim po raz pierwszy wykonasz to ćwiczenie, dokładnie przeczytaj jego opis.

1 Uruchom włącznik pewności siebie w kontekście uczuciowym, złączając kciuki i palce środkowe. Wpraw się w odpowiedni stan, powiększając obraz w wyobraźni. Pamiętaj, by mówić do siebie z wielką pewnością siebie i przyjmując taką postawę ciała, która świadczy o pewności siebie i przebojowości.

2 Będąc w tym pozytywnym stanie, wyobraź sobie film, w którym doskonale się czujesz w obecności wymarzonej osoby. Wyobraź sobie tablicę nad jej głową: „Spraw, bym poczuł się ważny". Zobacz, jak się śmieje, uśmiecha, dając ci do zrozumienia, że świetnie się z tobą bawi.

3 A teraz dorzuć parę trudnych sytuacji i spójrz, jak bez trudu sobie z nimi radzisz. Wciąż wyobrażaj sobie, że wszystko idzie dokładnie po twojej myśli.
Jeśli to potrzebne, postaw na swoim miejscu wzór, który z łatwością poradzi sobie z tym wyzwaniem, a potem wróć na jego miejsce.

4 Po kilkakrotnym obejrzeniu tego filmu wstąp na plan filmowy. Patrz własnymi oczami, słuchaj swoimi uszami i przekonaj się, jakie to cudowne uczucie być w szczytowej formie, kiedy najbardziej tego potrzebujesz.

Wyjście
z trudnej
sytuacji

Kiedy należy powiedzieć sobie „dość"?

> *„Za dwadzieścia lat bardziej będziesz żałował tego, czego nie zrobiłeś, niż tego, co zrobiłeś".*
>
> MARK TWAIN

Ciekawe, czy jesteś osobą, dla której napisałem ten rozdział – osobą w sytuacji tak kiepskiej, że gdyby ktoś zauważył, iż tak musiało się skończyć, twoją odpowiedzią byłby wybuch śmiechu lub uraza.

W każdym razie czytasz te słowa. Może doskwiera ci przygnębienie lub tkwisz w miejscu pracy bez perspektyw, zastanawiając się, czy kiedykolwiek będziesz mieć dość tego, że masz dość. Może tkwisz w niezdrowym związku, zastanawiając się, jak właśnie tobie mogło się przydarzyć coś podobnego.

Stało się to tak, jak powstaje każdy nieświadomy wzorzec zachowania – kawałeczek po kawałeczku i dzień po dniu. Jeśli wrzucisz żabę do garnka z gorącą wodą, natychmiast wyskoczy. Jeśli jednak włożysz ją do zimnej wody i będziesz powoli podgrzewać, żaba zostanie w garnku aż do śmierci.

Mam jednak dla ciebie dobrą wiadomość – możesz szybko, w sposób bezpośredni i natychmiastowy wybrnąć z tej sytuacji. Nawet jeśli jeszcze nie masz w sobie całkowitej gotowości, twoje nowe życie może się zacząć już za parę chwil.

Przekrocz próg

Richard Bandler ma przyjaciela, który prowadzi schronisko dla kobiet maltretowanych przez swoich partnerów. Mężczyzna ten nie wiedział, jak przekonać swoje podopieczne, by nie dawały kolejnych szans swoim oprawcom. Wiele z nich wciąż do nich wracało i znowu były bite.

W końcu jedna z nich została zabita w awanturze domowej. Wtedy poproszono o pomoc Richarda. Zaczął rozmawiać z kobietami, które wyrwały się z toksycznych związków.

Chciał się przekonać, co sprawiło, że zdecydowały się na porzucenie partnera. Dokonał fascynującego odkrycia. Każda z nich postępowała według tego samego wzorca zachowania. Wciąż myślały o tym, co złego je spotkało ze strony partnera, aż wspomnienia te zaczynały się tak kumulować, że brakowało miejsca na cokolwiek innego.

Im bardziej te wspomnienia łączyły się ze sobą, tym bardziej intensywne i nieprzyjemne stawały się emocje tych kobiet. Wreszcie, gdy kobiety myślały o sytuacji, w której utknęły, pamiętały tylko ból i strach. Zniknęły wszelkie wspomnienia dobrych chwil.

W wyniku tych negatywnych wspomnień natychmiast przestawały idealizować obraz swojego partnera. Była to kropla, która przepełniła czarę goryczy. Przekroczyły pewien próg. Po prostu nie mogły już myśleć o swoich mężczyznach jak o miłych facetach z temperamentem. Od tej pory już nie brały pod uwagę powrotu.

Richard postanowił nauczyć kobiety z innego schroniska, jak łączyć ze sobą złe wspomnienia, by wykorzystać ich moc. Zasadniczo zastosował mechanizm psychologiczny, który zna każdy z nas. Zamiast jednak czekać miesiące czy lata, aż mechanizm ten sam się uruchomi, pokazał kobietom, jak aktywować go natychmiast – zanim odniosą kolejne obrażenia.

Technika, którą opisuję niżej, została opracowana przez Richarda. Wiele osób, które z niej skorzystały, twierdzi, że to najbardziej efektywne działanie, jakie podjęły, by uwolnić się od uwikłania w zagrażający im związek czy sytuację. Osoby te mówiły tak: „Teraz już nic nie czuję do swojego byłego", „Mam wrażenie, że znałam go bardzo dawno temu", „Dzięki tej technice pozbyłam się uczucia przytłoczenia, teraz umiem sobie poradzić z tą sytuacją".

Jeden moich z klientów stwierdził, że już po jednorazowym zastosowaniu tej techniki przestał czuć emocjonalne przytłoczenie. Dzięki temu w znacznym stopniu wzrosła jego pewność siebie, wiedział bowiem, że jeżeli tęsknota powróci, ma pewny sposób na pozbycie się jej.

A teraz przedstawiam wspomnianą technikę, której skuteczność częściowo polega na szybkości jej zastosowania. Ważne jest więc, by najpierw dokładnie przeczytać jej opis. Jeśli zechcesz się zatrzymać, by obmyślić kolejny krok, stracisz siłę rozpędu. Zdecyduj więc już teraz, czy pragniesz przeprowadzić radykalne zmiany w swoich uczuciach, i zanim ją zastosujesz, dokładnie przeczytaj jej opis.

TECHNIKA PRZEKRACZANIA PROGU

Zanim po raz pierwszy wykonasz to ćwiczenie, dokładnie przeczytaj jego opis.

1 Przywołaj w wyobraźni obraz siebie i osoby, z którą łączyło cię uczucie. Spójrz na nią jak na fotografię i zwróć uwagę na to, jakie uczucia wywołuje w tobie teraz. Następnie wyobraź sobie, że odkładasz to zdjęcie na bok, by po chwili móc do niego wrócić.

2 A teraz przypomnij sobie cztery złe wydarzenia związane z tą osobą – takie, które wywoływały u ciebie zdenerwowanie bądź niechęć. Może to być sytuacja, w której ta osoba cię obraziła lub w jakiś sposób zraniła. Sporządź listę, by z łatwością móc je przywołać w pamięci.

3 Teraz po kolei szczegółowo odtwórz w wyobraźni te wydarzenia – wyobrażaj sobie, że w tej chwili bierzesz w nich udział. Zobacz to, co widziałeś wtedy, usłysz, co słyszałeś, i poczuj negatywne emocje, jakie cię wtedy ogarniały.

4 Powtórz to kilkakrotnie, za każdym razem wyobrażając sobie te sceny wyraźniej i intensywniej. Zwiększ tempo odtwarzania, aż wydarzenia zaczną nakładać się na siebie i znikną wszelkie przerwy między nimi.

5 Kiedy już wywołasz w sobie silne negatywne emocje, dodaj do złych wspomnień sceny z czasów, kiedy twoja miłość kwitła, i odtwarzaj je ponownie.

6 Teraz pewnie czujesz się zupełnie inaczej. Zadaj sobie pytanie, czy w kontekście złych wspomnień przyjemny obraz wciąż wydaje ci się atrakcyjny.

7 Kiedy uznasz, że obraz ten już ci się nie podoba, wyobraź sobie, że porzucasz wszelkie wspomnienia związane z eks, a obrazy i uczucia związane z tą osobą odpływają daleko w przeszłość.

Przeważnie wystarcza jednorazowe zastosowanie tej techniki w celu odcięcia się od dawnego związku. Jednak jeśli chcesz, możesz powoli i uważnie powtórzyć ćwiczenie, by wzmocnić jego działanie.

Codziennie słuchaj dołączonej płyty CD

Kiedyś skontaktowała się ze mną kobieta od wielu lat cierpiąca na agorafobię. Odkąd skończyła dwadzieścia parę lat, prawie nie wychodziła z domu, a do tego tkwiła w związku z mężczyzną stosującym przemoc.

Znajomy dał jej płytę CD – taką, jaka została dołączona do książki, którą czytasz. Po niespełna tygodniu intensywna technika programowania umysłu zaczęła działać. Po paru tygodniach kobieta ta sama poleciała samolotem do Australii. Kiedy wróciła, postanowiła odejść od męża i zacząć nowe życie w innej części kraju. Już nigdy nie obejrzała się za siebie. Ty też tego nie zrobisz.

CZĘŚĆ CZWARTA

PORADNIA

Najczęściej zadawane pytania dotyczące
zdobywania pewności siebie

Pytanie: Ustaliłem swoje cele życiowe, stosowałem pana techniki, słuchałem płyty CD. Biorę się do działania – i wciąż się boję! Co robię nie tak?

Nic. Wygląda na to, że wszystko robisz tak, jak trzeba!

W jednym z wywiadów dziennikarz spytał Bruce'a Springsteena, czy kiedykolwiek odczuwał tremę przed występem na ogromnych stadionach, gdzie na widowni często znajdowało się ponad pięćdziesiąt tysięcy słuchaczy.

Ku mojemu zdumieniu Springsteen odparł: „Nigdy. Kiedy szykuję się do wyjścia na scenę, serce zaczyna mi mocno walić, ręce się trzęsą, nie mogę złapać powietrza i wiem wtedy, że jestem NAKRĘCONY i gotowy do występu!".

To uczucie nakręcenia i gotowości do występu (czyli trema) powstaje w wyniku wydzielania się adrenaliny, której poziom podnosi się za każdym razem, gdy wykraczasz poza ramy bezpieczeństwa lub robisz coś po raz pierwszy. Dopóki wyobrażasz sobie, że jesteś pewny siebie, mówisz do siebie z przekonaniem i podejmujesz działanie, jeszcze zanim jesteś całkowicie gotowy, robisz wszystko, co zapewni ci sukces.

Pytanie: Kiedy stanę się pewniejszy siebie?

Pamiętasz, jak w dzieciństwie odwiedzałeś swoją babcię i ciocię i za każdym razem padało to samo stwierdzenie: „Och, ależ ty wyrosłeś!". Nie budziłeś się codziennie, czując się wyższy, a jednak w twoim organizmie nieustannie zachodziły jakieś zmiany.

Wiele zmian, jakich dokonujesz teraz, zachodzi stopniowo. Zanim ty je spostrzeżesz, mogą je zauważyć twoi znajomi, członkowie rodziny czy koledzy z pracy.

Każdy nieco inaczej stosuje techniki opisane w tej książce i inaczej korzysta z dołączonej płyty CD – niektórzy dostrzegają natychmiastową poprawę, inni potrzebują nieco więcej czasu.

Stosuj moje techniki i słuchaj CD przez co najmniej trzy tygodnie. W ten sposób nie tylko będziesz przybliżał się do celu, ale i dostrzeżesz swoje nowe możliwości.

**Pytanie: Czy naprawdę muszę codziennie
przeprowadzać pięciominutowy trening?
Nie mogę po prostu posłuchać płyty CD?**

Jak masz czuć pewność siebie, skoro zaczynasz każdy
dzień od atakowania samego siebie?

Większość ludzi zaczyna dzień od pięciominutowej
krytyki siebie. Dokonują szybkiego przeglądu tego, co
im się w życiu nie udało, a potem potępiającym wzro-
kiem patrzą na swoje odbicie w lustrze. W ten sposób
tworzą potężny negatywny stan wewnętrzny.

Pięciominutowy codzienny trening pewności siebie
ma pomóc ci przełamać stare schematy myślowe i stworzyć nowe. Samo słuchanie płyty CD w końcu na nowo
zaprogramuje twój umysł, ale jeśli dodasz do tego ćwiczenia praktyczne i codzienny trening, przyspieszysz ten
proces i zaczniesz czuć ogromną pewność siebie przez
cały dzień.

—

Pytanie: Znajomi twierdzą, że odkąd przeczytałem tę książkę, stałem się bardziej arogancki. Skąd mam wiedzieć, czy nie przemieniam się w zwykłego drania?

Kiedy się zmieniamy, przeraża to niektórych, bo człowiek lubi przede wszystkim to, co dobrze zna. Gdy więc nagle zaczynamy bronić swoich praw, wygląda to tak, jakby zaczynały nami kierować złe intencje. Niektórzy mogą też nie chcieć, byś stał się pewny siebie, bo wtedy masz więcej siły niż oni.

Zorientujesz się, że ta metoda działa, wtedy gdy ludzie zaczną mówić, że się zmieniłeś. Jedni będą się z tego cieszyć, innych to zaniepokoi. Najważniejsze, że się zmieniasz, choć część twoich znajomych może zaakceptować ten fakt dopiero po jakimś czasie.

Pamiętaj też, że nie chodzi tu o udawanie aż do skutku – lecz o zmianę obrazów i dźwięków w twoim umyśle oraz takie wykorzystanie swojego ciała, byś lepiej się poczuł we własnej skórze.

Kiedy już ustanowisz swoje WIELKIE cele i zaczniesz codziennie działać, by się do nich zbliżyć (jeszcze zanim poczujesz całkowitą gotowość), twoje życie się zmieni.

Jeśli twoi przyjaciele są prawdziwymi przyjaciółmi, nadal będą cię lubić, gdy staniesz się osobą pewniejszą siebie, zmotywowaną i odnoszącą sukcesy. Jeśli będą ci zazdrościć, zaproponuj, by sami kupili tę książkę!

**Pytanie: Stosując te techniki, bardzo się nakręcam,
ale nie mogę znaleźć ujścia dla swojej energii.
Co powinienem zrobić?**

Pamiętaj, że pewność siebie bez działania to tylko emocja – a działanie bez konkretnego kierunku nie musi cię zaprowadzić do celu. Jeżeli doprowadzasz się do takiego stanu, to po prostu dlatego, że jeszcze nie stworzyłeś obrazu obiecującej przyszłości.

Przeczytaj jeszcze raz część dotyczącą WIELKICH celów i codziennego działania. Cele, które ustanowisz, dadzą ci poczucie kierunku, a nawyk codziennego działania sprawi, że pozytywne emocje zaczną dla ciebie pracować.

W ten sposób w dni, w które nie zdołasz z siebie wykrzesać dość intensywnych emocji, dzięki nawykowi codziennego działania będziesz zbliżał się do realizacji swojego marzenia.

**Pytanie: Martwię się, że jeżeli będę zachowywać się
z większą pewnością siebie niż mężczyźni, nie będą
chcieli się ze mną umawiać. Czy istnieje kobieca
wersja tej techniki?**

Przede wszystkim nie chodzi tu o zachowywanie się z pewnością siebie, lecz o ćwiczenie umiejętności bycia pewnym siebie. Z doświadczenia wiem, że mężczyzn i kobiet nic nie pociąga bardziej niż wewnętrzny blask, który bije od osoby dobrze czującej się we własnej skórze.

Pytanie: W dzieciństwie byłem maltretowany i teraz wciąż czuję się nieswojo wobec niektórych osób. Czy opisane tu techniki pomogą mi?

Niemal na pewno, jeśli jednak zmagasz się z traumą z przeszłości, gorąco polecam, byś spotkał się ze specjalistą, zanim zaczniesz je stosować.

Tymczasem, korzystając z nich i słuchając płyty CD, natychmiast zrozumiesz, że przeszłość jest już za tobą i będziesz mógł się uwarunkować na zdobycie większej pewności siebie i motywacji – niezależnie od tego, co kiedyś przeżyłeś. Pamiętaj jednak, by słuchać płyty codziennie przez co najmniej trzy tygodnie, utrwalając w ten sposób potężne zmiany w swoim umyśle.

Pytanie: Panu łatwo powiedzieć – ma pan wszystko, czego chce. Ja na pewno też byłabym pewna siebie, gdybym była osobą sławną i odnoszącą sukcesy!

W książce *Zmień swoje życie w siedem dni* opisałem historię swojego życia, ale wystarczy powiedzieć, że jako nastolatek mogłem tylko pomarzyć o wydaniu takiej książki. Dopiero kiedy zacząłem uczyć się hipnozy, zacząłem nabierać pewności siebie, nabrałem motywacji i nawyku działania, moje życie zaczęło zmieniać się na lepsze.

Wszystko, co w życiu osiągnąłem, udało mi się zdobyć dzięki metodom opisanym w tej książce. Nadal natykam się na nowe wyzwania i cieszę się z tego, bo dzięki nim uczymy się i rozwijamy. Jeśli dopisze mi szczęście, zawsze będę je spotykał na swojej drodze – dzięki temu już do końca życia będę się uczył i rozwijał!

MYŚL KOŃCOWA

Lata temu, kiedy nagrywałem płyty CD z treningiem „Rzuć palenie", podczas przerwy dźwiękowiec podszedł do mnie ze zmartwioną miną. Kiedy spytałem, co się stało, odparł, że od kilku dni nie zapalił ani jednego papierosa, a pali od zawsze.

Spytał, czy to możliwe, że to wpływ programowania umysłu, chociaż nie wsłuchiwał się uważnie w treść moich wypowiedzi i nie zamierzał rzucać palenia.

Stare przysłowie mówi: „Jeśli chcesz się czegoś nauczyć, idź i ucz tego innych". Pisząc tę książkę, zauważyłem, że rośnie moja pewność siebie i uczucie wewnętrznego komfortu. Przyjaciele zaczęli mnie pytać, co w sobie zmieniłem. Złapałem się również na tym, że częściej podejmuję działania, jeszcze zanim czuję całkowitą gotowość, a rezultaty okazują się nieprawdopodobne.

Napisałem tę książkę dla was i mam szczerą nadzieję, że tak zmieni wasze życie, jak moje zmieniła praca nad nią. Niech spełnią się wasze najskrytsze marzenia!

Życzę sukcesów,
Paul McKenna

Chciałbym podziękować Robertowi Kirby'emu,
Clare Staples, Mari Roberts, Paulowi Duddridge'owi,
dr. Richardowi Bandlerowi, dr. Robertowi Holdenowi,
dr. Rogerowi Callaghanowi, dr. Ronowi Rudenowi,
Simonowi Cowellowi, Aleksowi Tuppenowi, Trevorowi
Leightonowi, Dougowi Youngowi, Larry'emu
Finlayowi, Anne Jirschitzce, Mike'owi Osborne'owi
i Anrew Neilowi.

Gorąco dziękuję Michaleowi Neillowi za stałą inspirację
i nadawanie moim dzikim i niezorganizowanym
pomysłom spójnej i zrozumiałej formy.

Jeśli chcesz odbyć trening z Paulem McKenną,
zadzwoń pod numer 0044 845 2302022